有権者って誰？

薮野祐三

岩波ジュニア新書 917

はじめに

２０１５年に選挙権年齢が満18歳に引き下げられて以来（改正公職選挙法公布２０１５年6月、施行２０１６年6月）、若者、とりわけ高校生が有権者としての自覚を持ち、投票に出かけるように呼びかける書物が多く出回るようになりました。ただし有権者とは、若者だけではなく、高齢者も、派遣《はけん》労働者も、働く女性もすべて指します。

若者に限らず、選挙のたびに、投票率が低い、あるいは政治的関心が薄いなどといった批判が相次いでなされています。２０１６年以降の国政選挙における年齢別投票率を見ると、20歳代の投票率がいずれも30パーセント台でもっとも低くなっています。18〜19歳は、２０１６年の参院選は46・７８パーセントで30歳代よりも高かったのですが、17年の衆院選では40・４９パーセント、19年の参院選では32・２８パーセントと低くなっています。投票率が低いのは、「どうせ、ぼくの、わたしの1票で政治は変わらない」という意識が強く、投票に行かない人が多いからなのでしょう。

わたしは、それを批判しようとは思いません。縄《なわ》で引っ張って投票所につれていくことなどできませんし、投票しないことも、投票についての、ひとつの選択肢です。

しかし投票率が低いと、少数の人(投票した人)の意見で政治家が選ばれてしまいます。それは、やはり好ましいことではありません。多数決の原理から言えば、過半数の人の賛否《さんぴ》の意見(投票)が欲しいものです。

フランスでは大統領を選挙するのに、有効投票の過半数を取らないと当選と見なさない選挙の仕組みになっています。過半数にこだわる国であるといえるでしょう。

しかし日本では、有効投票の過半数にこだわる仕組みにはなっていません。日本でもフランスのように過半数にこだわるのなら、もっと選挙に行こうという運動が起きるのでしょう。

政治意識を持とう、投票に行こうという運動をいくら強めても、有権者の心が投票所に向かわなければ、投票という行動はうまれません。わたしは、有権者、とりわけ若者の有権者に、投票に行きなさいと主張するつもりはありません。

投票に行く、行かないは別としても、最も必要なこととして、どんな人々が有権者として投票に出かけているのか、あるいは投票に出かけていないのか、みなさんに、さまざまな有権者の姿を知って欲しいのです。

なぜ投票に行くのか、あるいは行かないのか、なぜ投票率が低いのかなど、その理由をつまびらかにして、まず事実を知る必要があります。この本では、「投票に行くべきだ」という「べき論」に力を入れてはいません。投票率は低くてもいい、投票に行かなくてもいい、まずはさまざまな有権者がいるという事実を知る、それが心を動かすきっかけになるかもしれません。

それは、みなさんが物理や化学の授業を受けることと同じです。水素と酸素を化合させると水になる。この事実は、高校生はみな知っているでしょう。水素と酸素の化合で水ができるという事実を知ることで、科学に興味を持つようになるかもしれないという論理と同じです。

その意味で、この本では多様な有権者の姿に迫ろうと思っています。有権者の姿を見ていけば、新たな面白い事実に出会うことができるかもしれないからです。

現実を見る、事実を知る、それがこの本の目的です。この本を読んで、今まで知らなかった案外面白い事実に出会って欲しいと思います。

「有権者って誰?」と問いかければ、「それは、わたしです」という答えを期待されていると感じることでしょう。いいかえれば、有権者として当事者意識を持ちなさい、という説得が待ち受けている、と思われるかもしれません。しかしわたしは、「有権者って誰?」という問いと、「それは、わたしです」という答えの中間項に、さまざまな有権者の姿を知るという作業が必要だと思っています。

「有権者って誰?」という問いかけと「それは、わたしです」という当事者意識にめざめる答えの中間にある、多様な有権者の姿を知るプロセス、それがこの本のテーマとなっています。

目　次

イラスレーション＝オフィスシバチャン

第１章

有権者には4つのタイプがある

1　市民には4つのタイプがある

高校生の多くは進路の希望に応じて、文系コース、理系コースに分けられます。この文系、理系に分ける進路指導は、戦後生まれのわたしが高校生だった頃も同じです。進路指導の考え方は変わらないものですね。

この本は「有権者って誰？」と文系の話が中心ですが、文系、理系に関係なく、ひとりでも多くの高校生に読んで欲しいと思っています。進路コースの区別なく、すべての高校生が満18歳になれば、有権者になるからです。いや、18歳だけではなく、まだ有権者の資格のない高校1年生、2年生にも、有権者になる準備として読んで欲しいのです。

「有権者って誰？」というテーマについて、ニュートンの「慣性《かんせい》の法則」から話を始めたいと思います。なぜ、ニュートンの「慣性の法則」から始めるのか、読んでいただければ分かってきます。ニュートンの「慣性の法則」は、文系、理系に関係なく、常識的な知識です。

広辞苑(第7版)をひいてみると「慣性の法則」を次のように説明しています。

「静止または一様な直線運動をする物体は、力が作用しない限り、その状態を持続する」

単純に言えば、なんらかの力が作用しなければ、動いている物体は動き続けるし、静止している物体は静止したままということです。この慣性の法則は、学習態度にも通じるものがあります。勉強をする人は、継続して勉強します。他方、勉強しないでサボっている人は、そのままサボり続けます。

そこで問題です。物体は「力が作用しない限り、静止した状態を持続する」。逆に、力が加われば運動を開始します。学習意欲にたとえれば、学習意欲に力が加われば運動を始め、学習への意欲が高まるのです。では、その静止した物体(高校生の学習意欲に相当します)に、力を加える方法はあるのでしょうか。「力」=「勉強の動機」を生むものとは何か、これが一番難しい問題です。

慣性の法則について、ある皮肉な人が「では、ニュートンさん、この世界が最初に動き始める力は、どこから来たのですか」とたずねました。困ったニュートンは「それは、神さまが一突きされたのです」と答えたのです。これを「神の一突き」と呼んでいます。あくまでも逸話《いつわ》として理解しておいてください。そこに秘められた含意《がんい》とは、「原因は、偶然としかいいようがない」ということです。

政治や選挙に関心のない人、政治や選挙に対して静止している人を、政治や選挙に向かわせるには、「神の一突き」を待つ以外方法はないのでしょう。でも、それをただ待っているだけでは、人間の英知はうまれません。学習に対して静止している心を一突きする動機が必要です。

わたしは、人間には「ネット・ワーク」「フット・ワーク」、そして「ハート・ワーク」の3つの「ワーク(働き)」が必要だと思っています。今はSNSによって、情報のネット・ワークは膨大《ぼうだい》なものになっています。さらに自動車や新幹線、飛行機などの移動手段の目をみはるような発展によって「フット・ワーク」(人の移動)もきわめて容易になってきました。しかし、心と心を通わせる「ハート・ワーク(感動の伝達)」は、他の2つのワークと比較して、なかなか発展していません。ネット・ワークでは心が通じないので、メールやLINE

に笑顔の絵文字やスタンプをつけたりして、感情を伝えようと工夫しています。

そこで、有権者のハート(感動)に迫る分析をすすめていきたいのですが、そのために、まず「市民」という概念を明らかにする必要があります。「市民」の概念を明らかにすることで、有権者のイメージがより鮮明になるからです。

常識というものほど、言うはやすく、行うは難しいものはありません。電車の中で高齢者に席を譲《ゆず》るのは「常識だ」と誰もが答えますが、実際に席を譲っているかどうかとなると、かなり疑問です。理念としての常識と、それを現実の生活の中で実行することの間には大きなギャップがあります。

同じことは「市民」についてもいえるのです。道路にゴミを捨てないのは市民として当然だと言われながら、実際、ポイ捨てをしている市民もいます。「理念としての市民」と「現実としての市民」の間にギャップがあるのです。

市民という言葉に見られるギャップを、「理念」と「現実」という単なる二分法ではなく、もう少し多様に説明する方法はないものか悩んでいました。その時、偶然、イギリスの、

『オープン・ユニバーシティ叢書《そうしょ》』という、政治に関する簡便な出版物に出会いました。その叢書には、市民について4つのタイプがあることが書かれていたのです。それは以下の4つです。

①消費者としての市民
②常連としての市民
③顧問《こもん》としての市民
④市民としての市民

まず、①の「消費者としての市民」とは、自治体が提供してくれるサービス、具体的にはゴミの収集、上下水道などを単に利用するだけで、自治体の運営に無関心な人々を指しています。

わたしの住んでいる福岡市は、大学生、専門学校生、予備校生などの学生人口は、約12万人に及ぶと言われています。福岡市民の総数は約160万人ですから、約8パーセントが学生で占められているのです。なお、市民総数に対して学生数の割合が一番高いのは京都市で、福岡市は東京についで3番目です。

これらの学生の多くは大学等を卒業すると、福岡市の外に就職していきます。その多くは自治体のあり方などに関心を持たず、約4年間、買い物をし、ゴミを出し、電気やガス、上下水道を利用するだけの市民と言えます。このようなタイプの人々が「消費者としての市民」です。

それに対して②の「常連としての市民」は、消費者としての市民よりも「市民意識」が高く、市区町村が立てた住民向けの企画に参加したり、公共施設などの自治体サービスを利用したりする人々です。この自治体のサービスは、図書館、プール、体育館、市民会館など多岐にわたります。

高校生が放課後や休みの日に利用できる施設として図書館があります。図書館の利用を通して、図書館のあり方などを考えることが、自治体のあり方に関心を向ける窓口にもなります。このような行動により、日常的に自治体の施設を利用する常連となるので、「常連としての市民」と呼んでいます。

③の「顧問としての市民」に眼を向けてみましょう。これは、ある限られた人々に対する市民概念です。民生委員《みんせいいいん》や自治会長、自治体のさまざまな審議会の委員など、ある一定の権限の下に自治体との関係をもっている人々を指しています。通常、一般の人には少し縁遠い存在ですが、市民の意見の代弁者として自治体運営に参加します。

高校生のみなさんにはあまり縁のない「顧問としての市民」概念ですが、どのような自治体政策を形成するにあたっても、市民の代表、ここでは「顧問としての市民」と呼んでいますが、それらの人々の意見を取り入れていることは、理解しておいてください。

さて④の「市民としての市民」です。マスコミは、市民運動、市民集会など、「市民」の行動を報道します。市民といえば、ある一定の意見を持ち、自治体の運営に賛否を訴える人々だと思いがちですし、教科書などでも、市民について説明する場合、権利の主体、義務の主体として説明され、何かかたくるしいイメージでとらえられています。ですから多くの人は、市民といえば、この権利と義務の主体としての市民を想定してしまうのです。

「市民としての市民」を具体的にいえば、市民性を備えた人々、すなわち公共性を身につけた考え方の持ち主といってよいでしょう。公共性を身につけるには、ハート・ワークが必要です。

みなさんのイメージから遠い存在に思える「市民としての市民」は、社会や政治を考える上でとても大切です。地球市民という言葉もあります。みなさんが「アース・デー」に参加して地域のゴミを収集する活動や、被災地にボランティアとして復興支援に出かける活動、献血、募金など、困っている人々を助けようという活動をしている場合、それはハート・ワークに基礎を置いた「市民としての市民」の活動なのです。「市民としての市民」には、年齢、性別、自分が住んでいる地域など関係がありません。

「市民としての市民」の立場を得るために、いまだに政治的抑圧《よくあつ》を受ける国もあります。パキスタン生まれの人権運動家のマララ・ユスフザイさんは、女性が教育を受ける権利を主張して、暗殺される危機に直面しました。世界では、まだまだ「市民としての市民」の立場を確立するための政治的紛争が絶えないのです。現在でも、移民、難民、女性などに「市民としての市民」の権利があたえられていない国は多いのです。「市民としての市民」は、他の市民概念と比較して、それほど政治的に重要なのです。

このようにタイプ分けをすると、「理念としての市民」と「現実としての市民」の二分法から脱却して、より具体的で身近な市民の概念に出会うことができます。

では、質問です。みなさんは、どの市民タイプに当てはまるのでしょう。一度、自分を振り返って、「自分って、どのタイプの市民なのかな」と考えてみてください。

2　有権者にも4つのタイプがある

「有権者って誰?」というテーマに、「市民」概念から始めました。それは、「理念としての市民」と「現実としての市民」という二分法にとらわれずに、有権者の多様性を考えたいからです。

まず、アメリカの話をしましょう。アメリカでは19世紀ごろから、各州それぞれ市民に選挙権を与えてきました。選挙権年齢は21歳で、20世紀には全米の21歳の若者が有権者となったのです。

ただ、注意しなければならないのは、アメリカでは選挙権年齢になっても、日本のように自動的に有権者にはなれないということです。登録制度があり、有権者登録をしなければ、有権者の資格は得られないのです。この登録制度は、ある程度、選挙権年齢に達した若者に有権者意識を植えつける作用をしていることは確かです。

かつて、決定的に有権者を自覚させる政治運動が、アメリカで起きました。それは、みなさんが現代史で習ったベトナム戦争です。1960年代から1970年代にかけて、アメリカがインドシナ半島を舞台に戦ったベトナム戦争です。

どうしてアメリカから遠く離れたアジアへ戦争に行かなければならないのか、太平洋を渡ってまで戦争に行く必要があるのか、アメリカ国内でさまざまな反戦論議がありました。その中で、決定的な問題は徴兵制《ちょうへいせい》でした。

現在のアメリカの軍隊は日本の自衛隊と同じで、徴兵制ではなく志願制です。しかしベトナム戦争が始まった当時は、選挙権のない、いわば国家の政策決定に参加できない18歳以上21歳未満の若者も徴兵されたのです。戦争は、生死をかけた争いです。その戦争遂行《すいこう》の意思決定にさえ参加できない若者たちは、徴兵が18歳からなら、選挙権年齢も18歳に引き下げるべきだという運動を起こします。

その結果、71年には、選挙権年齢が18歳に引き下げられ、73年には、徴兵制から志願制に変わりました。戦争の是非がキッカケとなって、若者の有権者意識は高まったのです。

日本では、1890年に第1回総選挙が行われました。その時、明治時代の自由民権思想家である中江兆民《なかえちょうみん》は『選挙人目さまし』という名著を著わしています。

当時、有権者は25歳以上の男性だけで、しかも15円以上の納税者に限られていました。当時、15円以上納税している人は人口の約1パーセントしかいませんでしたから、有権者も1パーセントにすぎなかったのです。この状況を知っている兆民は有権者に、15円の納税ができない人々(投票権のない人々)の生活も、15円以上を納税している有権者の投票で決定されるのだから、有権者になれない貧困な人々の生活をも考慮に入れて投票すべきだ、と訴えているのです。だから棄権《きけん》など、もっての外だと主張しています。

現在でいえば、18歳の高校生の1票は、選挙権のない保育園児や小学生の、いじめ問題などに対する対策を決定する政治家を選択するのですから、棄権など論外だということになるでしょう。有権者でない人々の意思をも代表して投票するのだという意識が、18歳の高校生にあるのでしょうか。

有権者のタイプに戻ります。すでに述べた市民タイプから類推《るいすい》することで、有権者も4つのタイプに区分できます。

①消費者としての有権者
②常連としての有権者
③顧問としての有権者
④市民としての有権者

の4つです。ただ、この中でアドバイザーとして自治体運営に参加する「顧問としての有権者」は、年齢的にいって高校生が果たす有権者のタイプではありませんので、ここでは考慮の外においてください。

市民の概念を思い出してください。

18歳未満の高校生でも、被災地の復興支援活動に参加したような場合、市民性を発揮している「市民としての市民」といえます。献血をし、募金活動に参加して、社会に対する責任を果たす場合も同じです。普段は、「消費者としての市民」として生活していても、テレビなどの報道を見て、被災地の復興協力を思い立つかもしれないのです。これこそ、ハート・ワークですし、静止した心が「神の一突き」によって動かされたといえます。

そこで、残りの3つのタイプの有権者について考えてみましょう。

18歳になれば、この3つのタイプの有権者には、誰でも、いつでも、どこでもなれます。

しかし有権者という存在は、市民とは大きく異なり、公職選挙法という法律の下に置かれて活動します。年齢制限があり、選挙の時に好きな候補者を応援して選挙事

＊選挙権について＊

公職選挙法
第九条　日本国民で年齢満十八年以上の者は、衆議院議員及び参議院議員の選挙権を有する。
2　日本国民たる年齢満十八年以上の者で引き続き三箇月以上市町村の区域内に住所を有する者は、その属する地方公共団体の議会の議員及び長の選挙権を有する。

図表 1-1　有権者の投票機会

衆議院議員選挙(小選挙区、比例代表)
参議院議員選挙(選挙区、比例代表)
都道府県知事選挙
市区町村長選挙
都道府県議会議員選挙
市区町村議会議員選挙

務所でお手伝いをしても、報酬をもらってはならないなど、さまざまな規制があります。

市民性を考えることは、それを規制する法律がないために比較的自由なのですが、有権者となるとこのような制約があるため、みなさんは、当座、投票に行くか、行かないかといった関心にとどまってしまいがちです。

有権者はさまざまな投票機会を持っています(図表1-1)。まず衆議院議員選挙、そして参議院議員選挙です。これを国政選挙といいます。衆議院議員選挙では、小選挙区と比例代表から代表者を選びます。参議院議員選挙では、選挙区と比例代表から代表者を選びます。

さらに都道府県の知事選挙と市区町村の長(市長、区長、町長、村長)の選挙、そして都道府県議会議員の選挙と市区町村議会(市議会、区議会、町議会、村議会)の議員選挙で、これらを地方選挙といいます。これらの投票機会に、18歳の有権者はどのような態度をとるのでしょう。

まず①の「消費者としての有権者」ですが、通常、あまり選挙に行かない人々の多くは、このカテゴリーに入ります。棄権して1票を使うことなく消費する「消費者としての有権者」になります。

②の「常連としての有権者」は、常連という言葉が表すように、選挙にはいつも投票に出かける人々を指しています。「常連としての有権者」といっても政治意識が低い場合もあれば、意識が高い場合もあります。動機と結果としての行動＝投票の間には、濃淡、あるいは強弱があります。

一番大切なのは、④の「市民としての有権者」です。市民性を持っていて、選挙に際して、投票の権利と義務を果たそうと、公正、公平な視点から選挙に臨む人々です。

新聞やテレビで投票率が低い、政治に関心がなさ過ぎるという報道がなされるケースが多いのですが、その場合、無意識のうちに有権者は全員、権利と義務に目覚めた「市民としての有権者」として投票に行くものという考えが基礎になっています。

しかし、理念ではなく現実を見た時、「市民としての有権者」だけでなく、「消費者としての有権者」「常連としての有権者」と、それぞれのタイプが存在しているのです。

3　それぞれのタイプを評価してみる

市民の4つのタイプに関しては、③の「顧問としての市民」は除いて、あなたは他の3つの市民のタイプのどれにあてはまりますか、と尋ねてみても、それほど違和感を持つこともなく、簡単に回答ができると思います。毎日の生活が市民生活そのものですから、市民は、日常的に経験している概念です。日常的には①の「消費者としての市民」だけど、災害が起きたらボランティア活動しているなという意識があれば、④の「市民としての市民」となり、①と④が重なるケースもあります。

しかし有権者となると、市民とは異なって、日常的ではありません。市民も有権者も、朝起きてから夜寝るまで市民であり有権者です。しかし、有権者として行動するのは、選挙の時だけです。

図表 1-2　有権者のタイプと政治意識

政治意識が高い

↑
④市民としての有権者

③顧問としての有権者（高校生には、原則例外的）

②常連としての有権者

①消費者としての有権者
↓

政治意識が低い

＊②の「常連としての有権者」は、18 歳になって複数回、国政選挙、自治体の選挙などを経験する可能性もありますので、理念としての常連になることができます。

ましてや、18歳で有権者になったばかりのみなさんは、図書館を毎日利用している「常連としての市民」であっても、何度も選挙機会があるわけではないので、いつも選挙に出かける「常連としての有権者」からはやや遠い存在です。「わたしは、常連としての有権者です」と回答できる人は、選挙経験を重ねた、年齢的にも30代以上の人々でしょう。

その意味で、有権者のタイプの政治意識を評価しても、若い世代のみなさんには抽象的なものに思えてしまうかもしれません。ただ、これから年齢を重ねて、いずれは「常連」や「顧問」になることもありますから、そのことも含めて、有権者のタイプに一定の評価をしておきましょう(図表1-2)。

これはあくまで一般的な見方です。しかし「常連としての有権者」として毎回選挙に行く人に、「消費者としての有権者」よりも高い評価をする必要があるのか、疑問に思っています。ニュートンの慣性の法則ではありませんが、選挙に行き続ける人々は慣性の法則にしたがって、選挙に行くという運動を継続しているにすぎない、という場合もあるからです。

他方、「消費者としての有権者」は、静止した有権者ですが、憲法改正や消費増税が争点になったりする時には、積極的に選挙に出かけるかもしれません。4つのタイプは日常的には固定していますが、争点によっては、「神の一突き」でそれまでとは異なる投票行動に走ることもあります。その意味では、4つのタイプを往き来するケースもあるので、どのタイプにも政治意識の軽重をつけたくないのです。

そのことを念頭において投票率を見ると、直近の国政選挙の投票率は衆議院が50パーセント台、参議院が40パーセント台という結果に出会います。残りの50パーセント、60パーセントの有権者は、慣性の法則に従えば、投票に際して静止したままといえます。この人々が投票に出かけるという運動を起こすには、それこそ「神の一突き」が必要です。3つの「ワーク」で言えば、まさに「ハート・ワーク(感動の伝達=投票の動機)」が必要だといえます。

もっとも、投票率の高さは「ハート・ワーク」だけで決まるとはかぎりません。ベルギー、ルクセンブルク、オーストラリアなどは義務投票制で投票率は90パーセントを超えます。与えられた選挙権を行使しなければ、罰金が課される国家もあります。

一般に、投票率は選挙の争点に大きく影響されますし、政党の競争関係にも左右されます。

身近な例でいえば、プロ野球で、優勝が決まるか決まらないかというゲームには、たくさんの人が観戦に出かけます。もう優勝が決まった後の消化試合には、あまり関心を持たないというのは一般的なことです。

これは選挙にも当てはまります。ふたつの政党が拮抗《きっこう》していて、どちらが与党になるか野党になるか、せめぎあいをしている場合は、投票率は当然上がります。しかし、最初からA政党がB政党に対して圧勝するだろうと思われている選挙には、あまり参加しないものです。

ただ、①の「消費者としての有権者(1票を棄権する人々)」に考えて欲しいことがあります。候補者にとっては、勝ち負けも大切ですが、相手に何票の差で勝ったかが、その後の議会での発言力に影響を与えます。「わたしの1票で政治は変わらない」と思っていても、「消費者としての有権者」が負けると分かっている候補者に投票すれば、当選者と落選者の得票の差が縮まります。差が小さければ、当選者は、「あぁ、これだけの批判票があるのか、反対票に投じた人の立場も考えに入れないと、次の選挙には負けるかもしれない」と気を引き締めるでしょう。たとえ当落に影響しなくても、意味のない投票など存在しないのです。

18歳選挙権が実施されるにあたって、さまざまな書物が出版されたと「はじめに」に書きました。多くはふたつのタイプに分けられます。ひとつは、18歳の人の投票率を統計的に調査して、18歳の高校生を投票に向かわせ、②の「常連としての有権者」を育てて投票率を上げようとするデジタル・タイプの本です。もうひとつは、政治教育を施して、④の「市民としての有権者」を育てようとするアナログ・タイプです。

政治教育といっても、たとえばトランプ大統領の外交政策をどう思うか、日本の国会での党首討論についてはどう思うかといった生《なま》の政治課題を、教室の場で議論することは、日本の学校ではあまり多くありません。

政治教育について、面白い事例があります。わたしの記憶の中にある少し古い話です。1991年に湾岸戦争が起きますが、その半年後、ある小学生新聞が、全国100校の小学生に対してこの戦争をどう思うか調査したことがあります。しかし回答があったのは、たった2校だけでした。残りの小学校は「そのような政治問題は、小学生に尋ねるのにふさわしくない」といって無回答だったのです。現実に起こっている戦争が良いか悪いかを尋ねるのは生きた政治教育ですが、日本の学校では、政治教育といっても、ナマの政治を扱うことはしないのです。

4　あなたはどのタイプ？

18歳になって選挙権を得たばかりの高校生は、4つのタイプの中で、「常連としての有権者」になるチャンスはほとんどありません。高校生の期間に、数多く選挙に臨む機会はほぼないからです。しかし、自治体選挙も含めれば、複数回の投票機会を持つ高校生もいますので、「常連としての有権者」も可能なタイプに入れておきましょう。ただ③の「顧問としての有権者」にはなれません。特別な場合を除いて、顧問になるだけの人生経験を経ていないからです。

①消費者としての有権者、②常連としての有権者、④市民としての有権者、のなかで、ニュートンの慣性の法則からすれば、①の「消費者としての有権者」は、静止した物体に相当し、②の「常連としての有権者」、④の「市民としての有権者」は、運動を持続する物体に相当します。

わたしは、みなさんが、自分のタイプをどこに置いてもいいと思っています。

選挙の際に、ポスターやテレビを見て、候補者を選ぶ人もいるでしょう。これはネット・ワークを駆使すれば可能な情報収集ですし、候補者の集会に出かけるのはフット・ワークを働かせれば可能な行動です。

しかし、各候補者の公約にそれほど相違がない場合、その内容によって投票に出かけようというハート・ワーク(投票の動機)が、①の消費者としての有権者に作用しません。静止した物体が運動を開始するには、「神の一突き」が必要ですが、それにはアナログ的なハート・ワーク(感動の伝達)が必要なのです。

みなさんが、ボーイフレンド、ガールフレンドといるとき、「感じのいい人だな」という心が動く瞬間があるでしょう。心が動く出会いの瞬間は、神の一突きであり、ハート・ワークが始動する瞬間といえます。

18歳になって「消費者としての有権者」である場合、「ハート・ワーク」が働かなければ、投票に行こうという意思は生まれません。強制からは生産的なものは生まれません。投票にはあくまでも「自由な意思」が必要です。

図表1-3　有権者と市民の相違

	年齢制限	行動範囲	日常性
有権者	18歳以上	投票日	非日常的
市　民	無制限	無制限	日常的

わたしは、ここまで、有権者の前に「市民」についての説明に多くのページを割《さ》きました。市民としての行動、市民としての活動はとても幅が広く、自由度が高く、年齢に関係しません。ですから、どのタイプの市民かなと、自分を位置づけるのは、それほど困難ではありません。

しかし有権者となると、大きな制約が課されてきます。これまで説明してきたように、ひとつは年齢です。そしてもうひとつは、非日常性です。

そこで、市民と有権者の相違《そうい》について整理して示しておくことにしましょう(図表1－3)。

ここから言えることとは、有権者意識より市民意識の方が圧倒的に広いということです。市民性を、英語ではシティズンシップと呼んでいます。この市民性という基礎があって、初めて意味のある有権者、つまり「市民としての有権者」となると言えるでしょう。

図表1-4　市民性と投票の関係

上層：投票（市民性を発揮するひとつの道具）
基礎：自分の自由な意思をもつ市民性

まず、市民(性)を基礎として、その上に有権者(投票行動)が位置づけられるのです(図表1-4)。市民性が十分に備わった時点で、有権者としての意識が芽生えるのです。「さあ18歳だ、投票に出かけよう」という意識をもつためには、その基礎となる市民教育が必ず必要になります。

投票という行為は非日常的ですが、政治は、国会は、一刻一刻動いていて、留まってはいません。わたしは、投票という行為は、市民性を発揮するひとつのツールだと思っています。

第1章では、有権者のタイプについて考え、慣性の法則をたとえとして、有権者が静止した状態を脱する必要性について説明してきました。次章では、有権者はどのような歴史を経験してきたのか、その点に焦点を当てて、考えていきましょう。

第２章

浮動票という言葉が使われた時代があった

1　時代を振り返ってみる

みなさんは、「無党派層」という言葉を、新聞やテレビを通して知っていると思います。この、無党派層という言葉が生まれてきた歴史を知ることで、その意味がより明確になります。

無党派層という言葉は、突然現れた訳ではなく、時代の過程を経て使われるようになりました。結論からいえば、「無党派《むとうは》」は「浮動票《ふどうひょう》」という言葉の対概念《ついがいねん》として、１９９０年代頃から使われるようになったのです。

90年代を分岐点とするのは、90年以前は日本経済は戦後から成長の一途をたどっていたのですが、90年代のバブル崩壊以降、不況に陥《おちい》ったからです。不況に陥った時点で、有権者の生活も大きく変わり、政治も同様に大きく変わり、有権者の投票行動も大きく変わりました。

そこで、現在の無党派層を理解するために、過去にさかのぼって90年以前の「浮動票」という言葉の理解から始めましょう。

まず選挙の窮屈《きゅうくつ》さについて考えておきます。選挙の窮屈さは、有権者の制約として、第1章でも取り上げましたが、また別の角度からみても窮屈さがあります。

有権者は、投票にあたって候補者の名前、あるいは比例では政党の名前を書かなければなりません(ただし、参議院選挙では、比例でも候補者名を書く場合もあります)。

しかし、候補者とは何か、政党とは何かについて、学校などではあまり詳しく語られることはありません。候補者や政党を具体的に語ることは、有権者の政治指向を、たとえば保守系か革新系かと分類することにもなり、投票先を誘導する危険性があるからでしょう。

選挙の場合、さらに以下の意味でも窮屈です。

まず投票日を有権者が決める訳ではありません。政治状況が行き詰まり、有権者の意向を確認するためぜひ総選挙を実施して欲しいと思っても、政府は衆議院を解散しないこともあります。解散日は、有権者ではなく、政府の意向で決められます。候補者もまた、有権者が決める訳ではありません。政党もそうです。新党をつくって欲しいと有権者が思っても、簡単に新党をつくれるわけでもありません。

候補者や政党という与えられた対象に対して、公示、あるいは告示によって知らされた投票日に、「有権者」となって1票を投じるのです。主権在民と言われますが、政党や候補者は有権者が決定するのではなく、与えられた枠組みの中で投票するにすぎないのです。

有権者ができることは、候補者と政党の選択であって、そこには自分の望む政治を実現してくれそうな候補者も政党も存在しない場合さえあります。

このように選挙の枠組みは、みなさんがつくるのではありません。有権者はあくまでも国会によってきめられた法律の枠組みの中でしか、選択＝投票できないのです。窮屈さとは、この状態を指します。

そして、どの候補者の政策を見ても違いが分からないことがあります。政党の公約にしても、憲法改正に賛成か反対か、沖縄の辺野古《へのこ》への基地移設に賛成か反対か、原発を推進するか廃止するかなどは、鮮明に違いが分かりますが、生活の問題、具体的には福祉、教育、年金等の問題などを見ると、それほど違いが分からないことが多いでしょう。

ある統計によると、選挙期間中に、直接候補者の顔を目にする有権者は、有権者全体の2

パーセントに過ぎないと言われています。２０１９年７月に行われた参議院選挙で、わたし自身、候補者の顔を直接見たのは１度だけで、それもわずか数秒でした。

みなさんも候補者を知っているといっても、多くの場合、掲示板、テレビ、新聞、ネットなどの媒体を通じて知っていると思っているだけで、候補者を直接見たり、候補者に会って政策について意見交換や議論をすることは、皆無に近いと思います。

候補者や政党について知るための勉強は必要ですが、選挙ごとに与野党の争点が異なる場合が多いので、18歳の有権者として初めて選挙に臨む場合、何が争点かもわかりにくく、戸惑いも大きいでしょう。それが結果として、若者の政治離れの原因になっているともいえます。

さて、浮動票についての話に入りましょう。

もう半世紀以上前になりますが、歴史的に言えば、自民党ができた１９５５年から、平成不況が始まる90年ごろまでは、「浮動票」という言葉が使われていました。

現在は「無党派」といった場合、支持する政党がない、あるいは選挙ごとに投票する政党

図表 2-1　固定化された政党

自民党	1955 年に結成	現在に至る
社会党	1945 年に結成	1996 年に社会民主党に変更、現在に至る
共産党	1922 年に結成	現在に至る
公明党	1964 年に結成	現在に至る
民社党	1960 年に結成	1994 年解散
新自由クラブ	1976 年に結成	1986 年に解散

＊社会党は、1955 年に左派と右派が統一されます。
＊社会党は、1996 年に社会民主党に党名を変更しましたが、事実上は社会党解体に近いといえます。
＊公明党も、1994 年に新進党に参加する公明新党と残留の公明に分党しましたが、1998 年に公明党を再結成しています。
＊一部、少数政党は除きます。
出典：神田文人・小林英夫編『決定版　20 世紀年表』(2001、小学館)から著者作成。

が異なるという意味が込められています。しかし90年以前では、有権者の多くはある程度、支持する政党を固定的にもっていたのです。その意味で、無党派ではありませんでした。

その理由のひとつに、自民党ができた55年から90年ごろまで、新しい政党がほとんどできていないことがあげられます。国政で見れば、いつも同じ政党が候補者を擁立していました。90年以前は、以下の政党で固められていたといえます(図表2－1)。

大きくいって5、6程度の政党で変化なく国会は占められていたのです。有権者から見ると、選挙では毎回、同じ政党が並んでいて、あまり新味が感じられませんでした。政党が固定化されていたために、有権者の投票行動も、それに合わせて固定化されていました。加えて、常に自民党が与党で政権を取り、野党第1党は社会党だったのです。この体制を、55年体制と呼んでいます。

自民党と社会党などの議席数を見てみましょう(図表2－2)。

図表では60年代だけを取り上げましたが、70年代、80年代にも大きな変化はありません。この状態では、有権者の投票パターンも固定化してきます。

この時代に学生だったわたしは、自民党＝与党、社会党＝野党第1党というパターンが崩

図表 2-2　総選挙における固定化された政党の議席
（衆議院のみで、上位 3 党のみ）

第29回	1960 年	自民党 296	社会党 145	民社党 17
第30回	1963 年	自民党 283	社会党 144	民社党 23
第31回	1967 年	自民党 277	社会党 140	民社党 30
第32回	1969 年	自民党 288	社会党 90	公明党 47

＊1960 年に社会党から分裂して、民社党ができます。
＊1964 年に公明党ができます。1967 年に、25 名の当選者を出しています。
出典：『決定版　20 世紀年表』から著者作成。

れるとは思えませんでした。まさか自民党が93年に政権を失うなど、想像もつかなかったのです。

自民党議員数の約半分に概当する数が社会党議員数だったので、二大政党制ではなく、「1ケ2分の1政党制」とも言われたものです。このような枠組みは、有権者がつくったのではなく、候補者や政党がつくり上げていったものです。有権者はこの条件の下でしか投票できませんでした。

このように、固定化された政党の上に有権者も固定化されて浮いていました。投票に行くか行かないかが問題であって、選挙の争点によって政党選択をすることは、ほとんどありません。前回は自民党へ、今回は社会党へといった投票パターンはまったくなかったと言えます。

政党の上に浮いている状態ですので「浮動票」と呼びます。「動」は投票に行くか、行かないかの動きを指しています。このようにして「浮動票層」が出来上がったのです。

確信をもった自民党支持者、社会党支持者、共産党支持者等は、自民党、社会党、共産党等に必ず投票します。「市民としての有権者」は、支持政党を明確にしている人々でした。他方、「顧問としての有権者」も一定の支持政党があって、自民党なら自民党に、社会党なら社会党に投票します。

「常連としての有権者」も、ある程度支持政党が決まっていて投票します。一方、「消費者としての有権者」は、ほとんどの場合、支持層として浮いているだけで、投票に行かない、すなわち棄権する場合が多かったのです。

このように自民党、社会党などの政党支持者には、必ず投票にいく場合から、状況に応じて投票にいく場合もあれば、棄権する人たちもいました。理解を容易にするために、浮動票の意味を、図示しておくことにしましょう(図表2-3)。この構図からも理解できるように、各政党は他党の支持者をとり込むのではなく、自分の党を支持する「消費者としての有権

図表 2-3　浮動票の投票行動

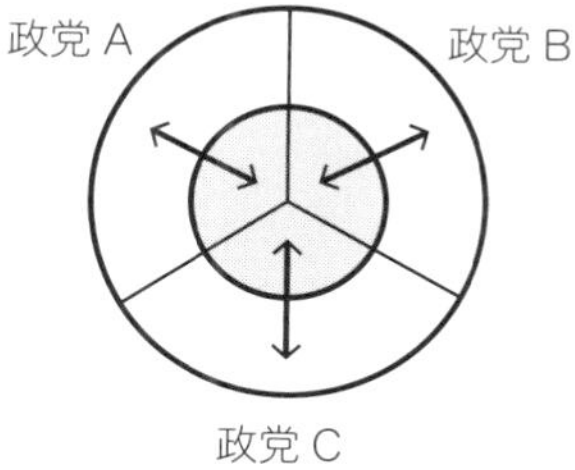

内円：市民、顧問、常連としての有権者
外円：消費者としての有権者
←→：選挙ごとに支持政党を変える
投票に行くか行かないかの動き
（内向き＝投票に行く）
（外向き＝棄権する場合が多い）

者」＝「浮動票層」が棄権しないで、自分の党に投票するように、選挙運動をしたのです。

2　政党や政治は利益誘導を基本とする

有権者は、自ら政党を形成することは簡単にはできません。では、政党はどのような原理で形成されるのでしょうか。政党を英語では、Political Party と呼びますが、この Party にはふたつの意味があります。

ひとつは、政治にはお金がかかるため、その資金をあつめるためにパーティを開いたので、政治的パーティと呼ぶようになったと言われます。party の語源には part＝部分と言う意味が含まれています。部分ですから、全体ではありません。政治には国民や社会全体の利益を実現することが求められますが、実際には政権を取ったどの政党であっても、簡単にできることではありません。Part である一部の利益団体の代理として、政党が出来上がると言われています。

このように、社会には利益団体が存在し、その利益団体は、それぞれ利益を自らのものとしようとして、自分に有利な政党を支持します。

では、それらの利益団体は、どのような利益を代表しているのでしょうか。

歴史的に言って、政党という組織はイギリスでできたと言われています。そのイギリスで最初に対立した利益は、「都市の利益」と「農村の利益」です。

都市はさまざまな工業製品をつくり、自由貿易を基本として海外への活動も展開します。他方、農村は保護を求めます。他国から安い農産物が輸入されると、農村は大きなダメージを受けます。そこで自由貿易か保護貿易か、貿易政策をめぐって対立が起きます。その結果、都市型政党と農村型政党が出来上がります。

また、イギリスでは1770年から1830年にかけて産業革命を経験します。産業が発展すると、企業家(使用者)と労働者の間で対立が起こります。企業家は、安い賃金で労働者を雇用しようとしますが、労働者はより高い賃金を求めます。この対立関係を労使対立と呼んでいます。労使関係の「労」は労働者を意味し、「使」は使用者＝企業家を意味します。

この都市対農村、労働者対企業家の対立は、以来どの国でも見られるようになります。そこで日本における対立と政党との構図を、図示しておくことにします(図表2－4)。

図表 2-4　利益対立の構図

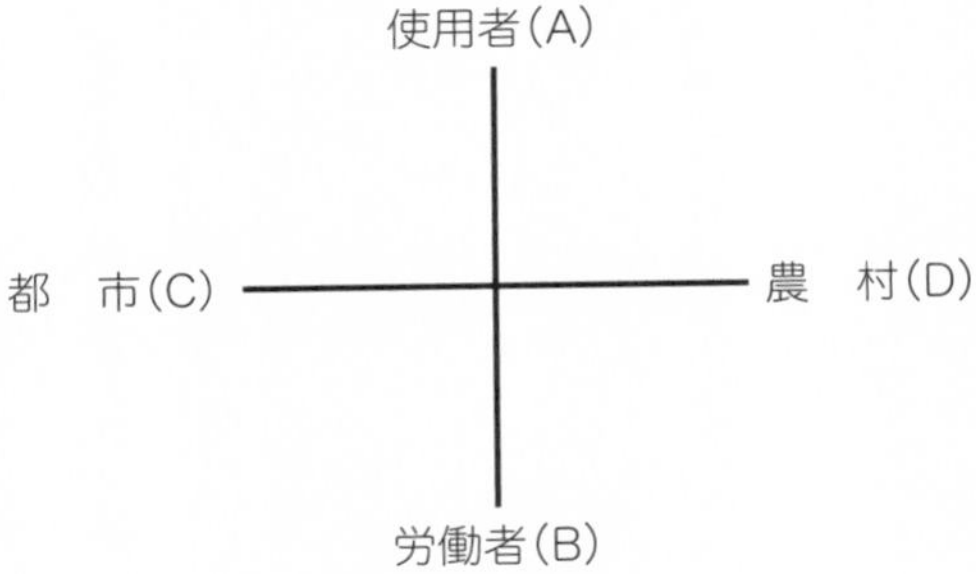

自民党：A、C、D
社会党：B、C
公明党：C
共産党：B、C、D

1960年代から1980年代までの日本では、自民党は主に「労働者」(B)を除く他の利益、すなわち使用者(A)、都市(C)、農村(D)の利益を代表してきました。他方、社会党は、工場が多い都市(C)と、そこで働く労働者(B)の利益をもたらすことに力を入れた政党でした。公明党は64年に典型的な都市型政党(C)として出発します。共産党は、自民党とは逆に、使用者(A)を除く他の(B)、(C)、(D)の利益を重視してきました。

この利益対立は、経済発展が著しい60年代から80年代まで、固定したままでした。それは、日本の産業構造に大きく依存していました。当時の日本社会は重化学工業が主体でした。重化学の「重」は重量の重い鉄鋼産業を意味し、「化学」は石油化学産業を意味していました。

3 有権者の支持政党はあまり変化しなかった

この時期に産業が発展し、経済は成長していきます。その経済発展の発端をなしたのが、60年に当時の首相、池田《いけだ》勇人《はやと》が発表した「国民所得倍増計画」です。10年間で国民の所得を倍にするという計画です。

この計画を実現するには、毎年10パーセントの経済成長を確保しなければなりません。まさにこの時代に、現代の日本の生活パターンの基礎が築かれたといえるでしょう。

東京オリンピックは64年に開催されています。敗戦が45年ですから、なんと敗戦からわずか19年の歳月をかけただけで、オリンピックを開催するまでの経済復興を遂げたのです。いかに60年代から経済が成長したか、戦後の日本のGNPの推移を見れば明らかです。そこで戦後から90年までのGNPの伸びを図示しておきます(図表2−5)。

60年代以降は、急激にGNPが成長していることが分かります。

戦後生まれのベビーブーム世代が若き労働者として、〝モーレツ〟に働きました。そのことを指して「モーレツ社員」という言葉も生まれました。人口増も著しく、消費のターゲットもこの世代に向けられます。

家庭生活も大きく変化します。現在では白モノ家電と呼ばれていますが、白い色をした電化製品が容易に手に入るようになりました。冷蔵庫、洗濯機、テレビ、エアコン(当時はクーラーと呼びましたが)が家庭に常備されるのです。電話も各戸に設置されます。ただ、電話と言っても固定電話で、プッシュホンではなくダイヤル式でした。

図表 2-5　戦後の日本の GNP の成長

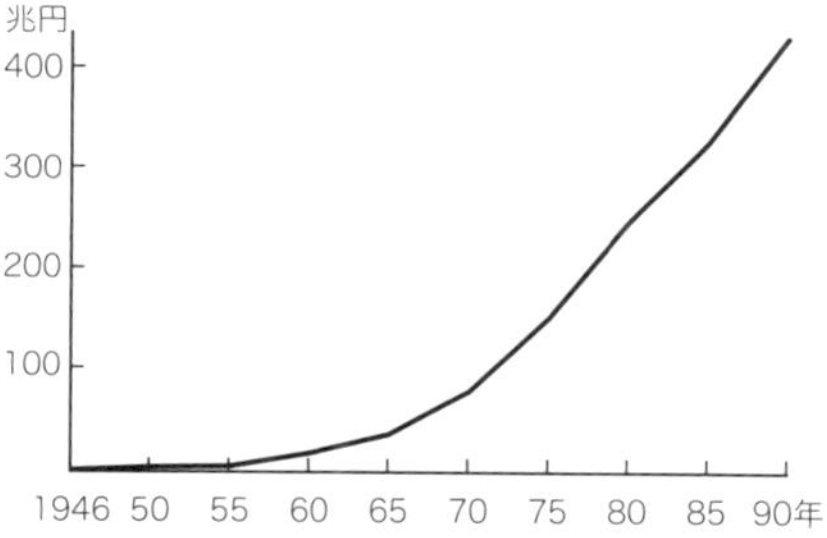

出典：各種年鑑等から著者作成。

また、自動車も普及し始めます。その結果、高速道路が建設され、自動車と新幹線が基本的な交通網の体系をつくりだすのです。今では通勤手段としてまで使われる新幹線が、東京と新大阪の間に開通したのは64年です。東京オリンピックは64年の10月10日に開会式を迎えますが、新幹線はその10日前、すなわち10月1日に東京、新大阪の間で開通しているのです。

新幹線に関していえば、戦後は軌道交通、すなわちレールを使った乗り物は時代遅れだとして、航空機時代を迎えようとしていました。しかし日本の鉄道建設技術は世界に先駆けて、軌道交通を高速化させることに成功するのです。その結果、この高速鉄道方式は、フランス、ドイツ、イギリスにまで普及し、21世紀になって、中国や台湾、韓国と、アジアの国々も鉄道の高速化を実現しています。

他方、航空機も開発され2階だての航空機、ボーイング747機が70年に就航します。通称ジャンボ機と呼ばれますが、当初は「ジャンボ」の愛称はカッコウがよくないとして、嫌われたものです。アポロ計画で人類が月面着陸を果たしたのは、ジャンボ機就航の前、69年のことです。

消費生活においても、各地にスーパーマーケットが進出し、さまざまな家庭用品が大量に、安価に手に入るようになります。豊かな生活の到来です。

市民は消費生活に満足し、政治的にも安定を求めます。その結果、政治の変動が起きていないのです。この時代の政治的紛争といえば、日米安保条約の改定を巡って、60年と70年に国会を揺るがすほどの市民闘争が繰り広げられたことです。

他方、エネルギー革命も起こっています。石炭から石油へとエネルギーを転換させるために、60年代に多くの鉱山が閉山したのです。雇用を奪われる炭鉱労働者は、激しい闘争を繰り広げますが、最終的に敗北し、以後、エネルギーは石炭から石油にとって代わられます。しかしエネルギー革命は環境汚染を招き、公害という負の遺産、水俣病、イタイイタイ病、新潟水俣病、四日市ぜんそくなどをおこしていることは銘記すべきことです。

この時代のサラリーマンの労働形態は、日本経済成長の基本として、世界的にも評価されます。それは、

① 終身雇用《こよう》
② 年功序列
③ 企業別労働組合

の3つです。

終身雇用は、急激な経済成長による人手不足の時代ですから、企業も定年まで雇用者を解《かい》雇《こ》(リストラ)することはなかったのです。当時、まだ高齢化社会を迎えていませんし、男性の平均寿命は70歳前後でした。定年は55歳です。終身雇用を可能にしたのは、産業構造にもあります。定年まで、産業構造が変化しないのです。成長を遂げている時代に生産ラインを革新する必要もないし、人手も不足していたので解雇も皆無の状態です。そのため、安定した雇用関係を結ぶことができたのです。

さらに年功序列方式です。年功序列とは、業績に関係なく勤続年数や年齢を重ねるごとに、賃金と地位が上がることを意味します。現代のような業績主義を中心とした競争社会では批判されますが、年功序列方式だと、年齢を重ねていけば給与も上がるため、年齢によって将来の自分の収入と地位が予測できるので、安心して業務に携わることができました。

すべての物事には、ポジとネガの両面がありますが、高度成長期に日本の雇用関係の中では、ポジの作用が大きく働きました。

安定しているからと言って、必ずしもサラリーマンはそのシステムに安住することなく「モーレツ社員」として働いたのです。まだまだ戦後の貧しさを感じる時代にあって、自然と労働意欲も高まったのでしょう。

最後に企業別労働組合です。企業活動が拡大し、終身雇用と年功序列が企業の中で保障されていると、労使紛争は起きないものです。労使が協力して、労使とも自分の企業を拡大しようとしたのです。

会社のなかでも会社の利益を重視するサラリーマンと、労働者の権利を重視するサラリーマンがいます。

有権者としてのサラリーマンについて考えてみましょう。

企業は当然、資本拡大を政策に掲げる自民党を応援します。そして利益をもたらすために、経済界をまとめる経済団体が自民党を支持しました。サラリーマンも企業内有権者として、自民党に投票します。

ただサラリーマンが自民党に投票するのは、有権者の4タイプのどのタイプを動機としているかは定かではありません。確信をもって投票する「市民としての有権者」タイプか、あるいは惰性にながされて投票する「常連としての有権者」タイプなのか、それは確定できませんが、多くの人々は、「常連としての有権者(サラリーマン)」であったでしょう。

自民党支持であっても、自民党が勝利するのは当然だとして投票に出かけないで棄権する①の「消費者としての有権者」も、多く存在しました。自民党支持層の上に浮かんでいたのです。まさに浮かぶ票です。

同じことは、農家にもいえます。政権を維持している自民党はつねに「農家の所得補償」を念頭に置いていました。当然、その見返りとして、自民党も農家からの票が欲しかったのです。農家もまた、サラリーマンと同じ投票パターンを踏襲《とうしゅう》したのです。

他方、労働組合は社会党支持を続けていきますが、勢力的にはつねに自民党議員議席数の半数しかとれませんでしたから、社会党に政権奪取の意欲があったとは思えません。そのため、社会党支持のサラリーマンの間でも、社会党支持だが投票に行かない「消費者としての有権者(サラリーマン)」が、社会党支持層の上に浮いて、浮動票層として存在したのです。

4　浮動票に変化が現れた

当時は、自民党がまた勝利するだろうという雰囲気は強く、政権交代など、起こりえないと思ったものです。支持政党はある程度固定化していました。選挙の時の問題は、有権者の支持政党の選択ではなく、投票に出かけるかどうかという点にありました。衆議院選挙だけですが、投票率の推移をグラフにしておきます(図表2－6)。

しかしこの状態にも変化が起きました。急激に起きるのではなく、徐々に変化が起き始めたのです。そして、第3章で述べる「無党派層」へと変化していくのです。この変化の過程に眼を向けてみましょう。

図表 2-6　衆議院選挙における投票率の推移

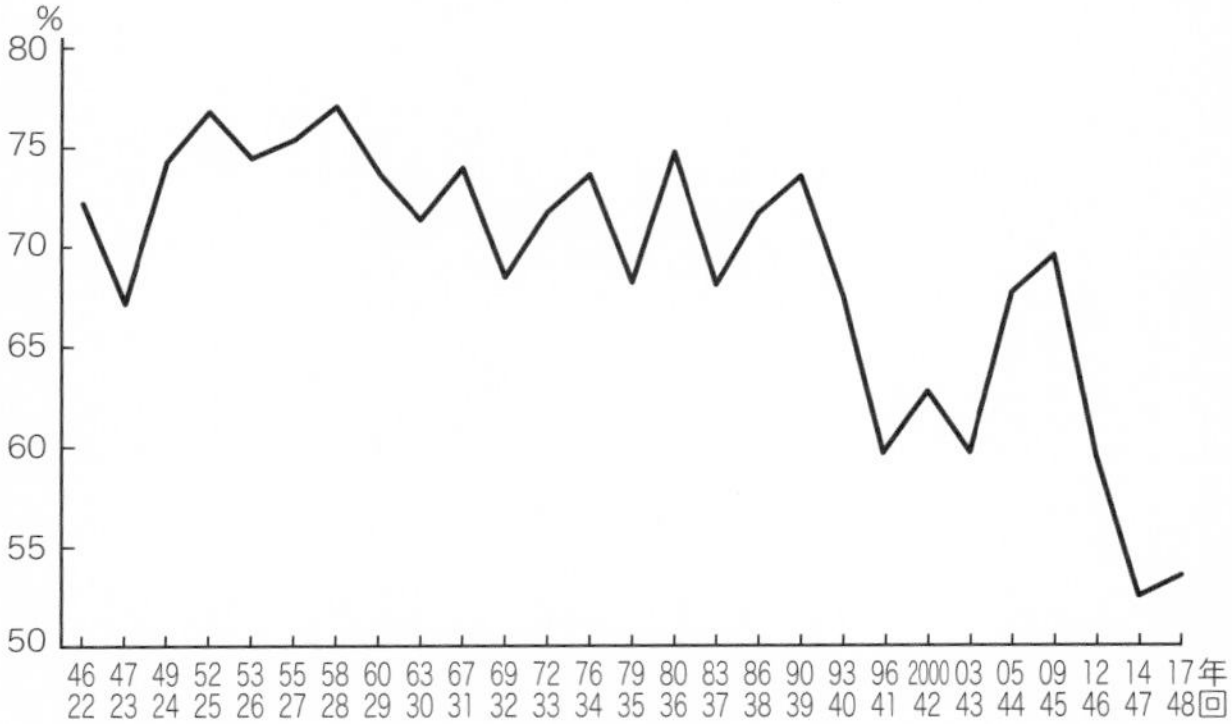

出典：総務省ホームページ。
＊年数は西暦。

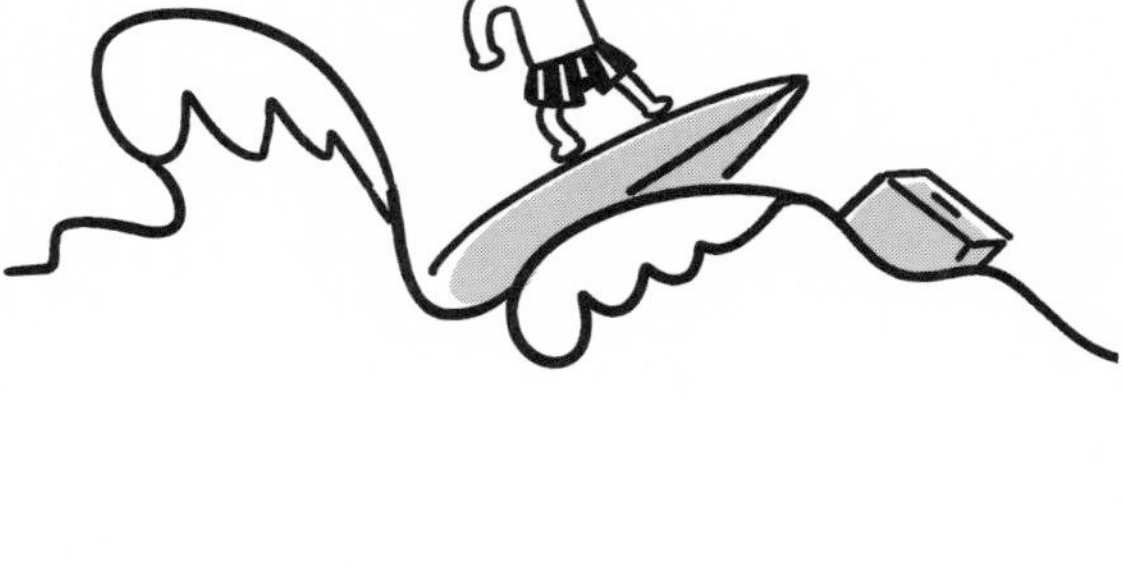

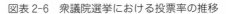

大きな原因のひとつに消費税があげられます。なぜ大きな原因かと言えば、メディアの報道が、それを社会的、象徴的に表しています。選挙のたびにテレビは、街頭で有権者にインタビューします。その中で、消費税導入時の選挙の時のインタビューは、それまでと大きく異なったのです。商店街の店主などが、「今まで自民党に投票してきたけれど、消費税は納得できない。自民党以外に投票したことはないけれども、今度は社会党に投票する」と、支持政党の変化を明確に訴える意見が多かったのです。

多くの反対を押し切って、消費税は89年に導入されます。これは大衆課税で、経済的に豊かな人も、貧しい人も、高齢者も子どもも、商品を購入すると課税される税金です。単に商品だけではなくサービスにも課税されます。理容、美容といった業務は商品を売っているのではなく、髪型を調《ととの》えるというサービスを売っていますが、これらのサービスにも課税されるのです。

課税には、直接税と間接税があります。直接税とは、課税される人と納税する人が同一の税制を指します。Aさんに課税されると、Aさんが納税します。しかし間接税は課税される人と納税する人が異なるのです。消費税は間接税なのです。

図表 2-7　直接税と間接税

	課税される人	納税する人
直接税	みなさん	みなさん
間接税	みなさん	商店などの業者

みなさんが、スーパーマーケットで商品を買ったとします。税金がみなさんに課税されます。現在の消費税は10パーセントですから、価格以外に10パーセントの消費税を上積みしてスーパーに支払います。スーパーマーケットは、みなさんから集めた10パーセントの税金を、みなさんに代わって納税します。

このように、みなさんは消費税をスーパーマーケットに支払い、みなさんの代わりにスーパーマーケットが税務署に納税するのです。この相違を理解しやすいようにするために、示しておきましょう（図表2－7）。

当然、消費税分だけ、物価は高くなります。当時、商店主など、多くの自民党支持者は猛反対をしたのです。しかし財政赤字が拡大する中で、どうしても税収の拡大を図りたい政府は、竹下登《たけしたのぼる》内閣の時代、89年に消費税3パーセントを導入しました。

消費税導入の中で、とりわけ日常的に消費者を相手にする商店街の店主が、猛反対の態度を示します。商品価格が3パーセント高くなると売上に影響します。10パーセントの現在から考えると、3パーセントは少ないと思われるかもしれません。しかし、3000万円の住宅を購入した場合90万円の消費税がかかるのですから、多くの市民も大反対しました。

当時、テレビや新聞の報道によると、多くの商店街の店主は、単に消費税に反対するだけではなく、導入を阻止するために野党に、とりわけ社会党に投票しています。近隣に大規模なデパートやスーパーマーケットができると小さな商店がつぶれてしまうのでそれを阻止するための法律をつくるなどのさまざまな優遇措置を、商店街は自民党を通して受けていました。その自民党に対抗するために社会党に投票するなど、それまでは思いもよりませんでした。固定化していた自民党支持者が、初めてと言っていいと思いますが、社会党やその他の野党に投票したのです。

こうして有権者は支持政党変化の方向に動いたのです。まさに「神の一突き」です。自民党から社会党へと、あれほど悩んだ支持政党の変化も、一度踏み切ってみると、それほど抵抗感がなかったのが実情でした。わたしは、この消費税導入が、支持政党の変化の一番大きなきっかけになったと思っています。

サラリーマンも、主婦も、子どもも、生活に対して保護を受けている人も、年金生活者も一律全員、3パーセントの納税者になるのですから、考えてみれば、税制改革としては大変な改革にあたります。

それに追い打ちをかけたのが90年代に始まるバブル崩壊《ほうかい》です。一般的に、商品が不足して不況になることはありません。過剰生産に陥って、商品が売れなくなって不況になります。商品を売るために物価を下げる。物価を下げると企業の収入が減少する。減少すれば給与が下がる。給与が下がるとモノを買わない。これによって消費の冷え込みがおきます。これをデフレと呼びます。

この連鎖は、みなさんが手にする商品だけではなく、土地価格や証券などにも波及します。土地価格や株価が下がると企業の資産が減少する。企業は設備投資を控える。とりわけ土地価格の低迷は、大きな不況の原因となったのです。

このようにして、蓄えた資産が減少していきました。デフレは10年続くとも言われたのです。資産が失われていく10年なので、「失われた10年」とも呼びました。しかし、10年たっても、20年たっても、日本はこのデフレから脱却できませんでした。

昭和から平成に変わったのは89年です。そして2019年5月に、平成は令和に変わります。平成は30年続きました。平成の30年は、不況の30年だったと言えます。

不況時代には、企業はリストラに走ります。企業経営の中で、一番多くの経費を必要とするのが人件費(給与)だからです。社員を減らすことで、必要経費を少なくしようとするのです。

アメリカの有名な社会学者に、ダニエル・ベルという人がいます。彼は、1976年に『資本主義の文化的矛盾』という面白い本を書いています。昼間、企業は労働者に働くことを強制し、賃金を下げようとします。しかし、仕事が終わって家庭にもどると、その労働者は企業が生産した製品の消費者となります。

たとえば、ビール会社が賃金を下げると、労働者は賃金が下がった分、ビールを飲まなくなります。そうするとビールの売り上げは減ります。賃金を上げれば消費も拡大しますが、資本主義のもとでは、賃金を下げて、消費を拡大しようとするのです。これは矛盾です。これを「資本主義の文化的矛盾」とベルは呼んでいます。

高度成長の時には、賃金は上がり、消費も上がるので、企業と労働者はウイン・ウインの関係にあるのですが、いったん不況が始まると、企業と労働者の利益が対立します。そのため、企業丸抱えで自民党支持者だったサラリーマンの投票パターンが、崩れ始めたのです。

同じことは、労働組合にも言えます。まず新規組合加入者が減少し始めました。組合に入ってどんなメリットがあるのか、組合はリストラを阻止してくれるのか、など働く側(労働者)の不満は、組合側に対しても顕著になってくるのです。これによって当時、組合が支持していた社会党へ、必ずしも労働者が投票しない状況が生まれ始めました。

このように、支持政党の構図の変化は、社会の不安定化と大きく連動しています。平成生まれの高校生であるみなさんが、バブルの時代(1980年代~1990年代初頭)を知らないのは、当然です。

しかし、社会の変動によって投票行動も大きく異なることを学ぶためにも、この浮動票層の時代の経緯は、ぜひ心に留めておいて欲しいのです。

第３章
無党派層が現代日本の政治を支配している

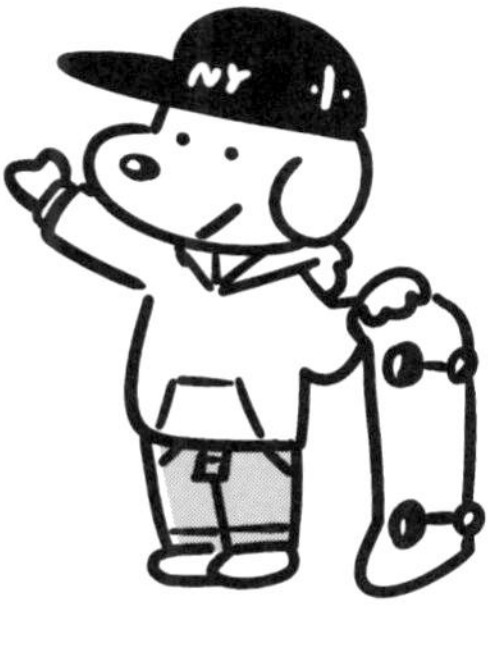

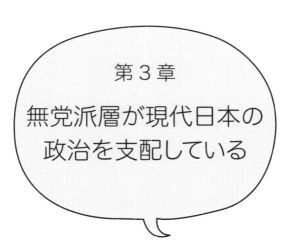

1　有権者の支持政党は固定化しなくなった

1989年の消費税導入は、有権者の投票行動を変化させる「神の一突き」であったとも言えます。それまで、政策によって支持政党を変えるという有権者の態度はほとんど見受けられませんでした。

みなさんには歴史的な事柄に属しますが、60年に日米安保条約の改定が行われました。敗戦後、日本はアメリカの占領下にありましたが、51年9月にサンフランシスコ講和条約が締結され、独立を回復します。

講和条約では、日本に他の国家が占領を目的として留まることを禁止していました。しかしアメリカは、日本に留まる政策を取ったのです。それは、50年6月に、南北に分断されていた朝鮮半島で朝鮮戦争が起きたからです。この戦争の前線基地として日本を位置づけたかったアメリカは、独自に日米安保条約を締結し、そのまま日本に駐留したのです。

この条約の締結期間は10年間でしたので、60年に改定の時期が来ました。その時、安保条約を継続すれば、日本もアメリカがおこなう戦争に巻き込まれるとして、安保反対運動が起きたのです。戦後最大の反対運動です。約33万人規模のデモ隊が国会議事堂を囲み、国会に突入する寸前まで紛争は拡大し、死者まででました。

しかしその直後の11月の総選挙では、安保条約改定を推進した自民党が296議席を獲得し、安保条約に強く反対した野党第1党の社会党は自民党の半数の議席、すなわち145議席しか獲得しませんでした。

生活問題は票に結び付きますが、他方、外交問題は票に結びつかないと言われています。このように、安保反対のために国会に突入しようかという危機状態の熱冷めやらぬ半年後の選挙で自民党が圧勝していることからも、それがわかります。

しかし消費税という政策は、大きく票に影響を及ぼしました。消費税導入前の86年に実施された総選挙では、自民党の304議席に対し、野党第1党の社会党は85議席しか獲得できませんでした。しかし、消費税導入後の90年の総選挙では、自民党は275議席、野党第1

党の社会党は136議席を獲得しているのです。自民党は、29議席減らしていますが、逆に社会党は51議席増やしました。

有権者が社会党に対して大幅に議席を増やすことを求めたのは、初めてともいえる現象です。消費税導入に対して抵抗するために、有権者はようやく政策によって投票行動を変化させたのです。端的《たんてき》に言えば多くの「消費者としての有権者」が「市民としての有権者」に変質したといえます。

さらに追い打ちをかけたのが、88年のリクルート事件です。リクルート社が政治家たちに、未公開のリクルート関連会社の株券を安価で譲渡した事件です。

その株価は値上がりすることが約束されていました。株を高値で売れば、その差額は政治資金として政治家に流れ込みます。この政治資金事件に対して、有権者の批判が噴出した結果、竹下内閣は辞任に追い込まれます。

このように、「消費者としての有権者」は、スキャンダルや消費税導入の際には「市民としての有権者」に変質しました。自民党は55年の結成以来、93年まで政権を失ったことがなかったため、有権者の間にも与党＝自民党、野党第1党＝社会党というパターンが定着していたのですが、自民党の金権政治、あるいは消費税導入といった生活問題には、どのタイプの有権者も鋭く反応するようになってきたのです。

このようにして、自民党支持から離れて無党派になる人々が、90年代から徐々に増大していきます。

世代別にみると、戦後生まれの「団塊の世代」は、90年代には50歳代を迎えましたし、自民党政権時代に高度成長を経験してきています。そのため、あまり支持政党を変化させることはありませんでした。しかし、その世代の投票行動にも変化が起きました。

戦後のベビーブーム世代の子ども達、すなわち第2次ベビーブーム世代は、90年には20歳代に成長し、大学進学期、就職期を迎えました。この世代は、高度成長を支えた自民党の時代は経験していませんし、逆にバブル崩壊時に就職氷河期を迎えていたのです。

バブル崩壊や就職氷河期という状況のなかで、単純に自民党支持に回れないのはいうまでもありません。そして財政難の時代には、大胆な予算措置がとれないので、生活問題、就職問題に関してどの政党を支持しても結果はそれほど変わらないという意識を持つようになります。そのため、比較的若い年齢層を中心に、親の世代よりも一層強く、無党派へと変質していきます。それが無党派層の始まりです。

この過程を見れば、みなさんが無党派になったとしても、あながち間違った選択ではないとわたしは思います。

選挙のたびに、新聞やテレビは支持政党に関するアンケート調査を実施します。選挙ごとに具体的な数字は異なりますが、近年のおおよその傾向をあげておきましょう。

国政選挙では、どの選挙をとっても、自民党・公明党支持が全体の約40パーセントを占めています。一方、立憲民主党、共産党など野党全体で10〜18パーセントほどの支持率を集めているにすぎません(この数字はずい時おこなわれるNHKの世論調査にもとづいています)。

与党(自公)支持　40パーセント前後
野党支持　10〜18パーセント
支持政党なし　40パーセント前後

その他　　　　10パーセント弱

というパターンが一般化していきます。目をみはらされる点は、支持政党を決めていない、支持政党を持たない態度未定の無党派層が、与党支持率と同じ、40パーセント前後を占めていることです。

第2章で、浮動票層について詳しく説明してきましたが、理解を容易にするために、浮動票層と比較しながら、無党派層の投票行動を図示しておくことにしましょう(図表3－1)。

無党派層の本質は、この図からも理解できるように、支持する政党が固定化していないことです。選挙のたびに支持する政党が変わる、あるいは棄権するというように、投票に対する態度が流動化しているのです。

浮動票層と無党派層の相違も、示しておくことにしましょう(図表3－2)。

図表3-1　無党派層の投票行動

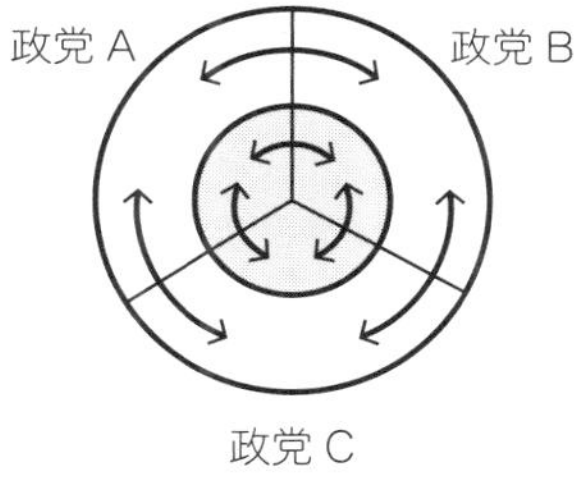

内円：市民、顧問、常連としての有権者
外円：消費者としての有権者
←→：選挙ごとに支持政党を変える
（内円＝投票に行く）
（外円＝棄権する場合が多い）

図表 3-2　浮動票層と無党派層

	支持政党	投票率	政治的関心
浮動票層	ある程度固定	比較的高い	比較的高い
無党派層	選挙ごとに異なる	比較的低い	比較的低い

＊ただし、無党派層は、棄権する場合も多い。

2　政党も多党化してきた

無党派層を拡大させた要因には、政策やスキャンダルに加え、新しい政党がたくさん誕生したこともありました。これを新党ブームと呼びます。90年代に入って、多くは自民党を離党して、新党を立ち上げる例が一挙に加速しました。90年代以降にできた政党名を列挙すると、以下のようになります(図表3－3)。

この新党ブームを引き起こした要因は、わたしはバブル崩壊だと思っています。バブル崩壊から脱却するためにどのような処方箋を書けばよいのか、多様な考えが生まれ、その結果、多様な政党が誕生したのです。政党は国会議員5名以上で結成でき、会派は最低3名で結成できます。

これだけ政党が乱立すると、有権者も政党選択に大きな戸惑い

図表 3-3　新党ブーム

政党名	結党時期	解散時期
日本新党	1992年	1994年（新進党に合流）
新生党	1993年	1994年（新進党に改編）
新進党	1994年	1997年
新党さきがけ	1993年	2002年
民主党	1996年	2016年
民進党	2016年	2018年
自由党	2016年	2019年
立憲民主党	2017年	現在に至る

＊新進党は新生党、公明新党、日本新党、民社党、自由改革連合を統一して成立しています。
＊その他の新党も、旧党の合併、合流でできている場合が多いので、注意が必要です。

を感じ始めます。

第2章で述べたように選挙とは窮屈なモノなのです。いくら主権在民、民主主義といっても、市民＝有権者は理想の政党をみずからつくることは簡単にはできません。政党という与えられた枠組み、立候補者という枠組みの中から、自分の意見に近い政党や候補者を選択する以外、方法はないのです。これだけ新党が乱立するのは、主権在民というよりも、政党主導主義といえます。

ただ、民主主義の重要性は以下の点にあります。いくら新たに政党を結成しても、その政党に有権者が投票しなければ、ガソリンのない自動車と同じになってしまいます。有権者の1票、1票が政党にエネルギー（ガソリン）をチャージするのです。

＊政党について＊

衆参の比例区に候補者を立てられたり、政党交付金を受け取れたりする政党になる基準（政党要件）は、(1)国会議員5人以上(2)直近の衆院選か参院選で2％以上得票する、のいずれかを満たす必要がある。

みなさんは、「わたしの1票で、政治は変わらない」と思われるかもしれません。しかし有権者としての1票は、すべての政党、すべての候補者へのエネルギー・チャージの役割を果たしているのです。

多党化すると、有権者が選択する支持政党の優先順位が多様化していきます。ある選挙ではA政党に投票し、次の選挙ではB政党に投票するというパターンが生まれてきます。その結果、政党選択に迷いが生じ、棄権もします。このように、多党化によって有権者の投票行動のパターンが大きく変わっていくのです。

90年以降には、政党は多党化します。93年には、その中の7党1会派が連立し、自民党の議席を上回り、与党となります。7党1会派とは、社会党、新生党、日本新党、公明党、民社党、新党さきがけ、社会民主連合、民主改革連合です。93年、自民党は55年の結成以来初めて政権を失います。

その1年後の94年に自民党は与党に復帰するのですが、与党になるためには、多数派を形成することが必要でした。自民党は、多数派工作のために社会党と手を組みました。自民党は社会党、それに新党さきがけと連立を組んで、政権復帰を果たすのです。これを「自社さ

（自民党＋社会党＋新党さきがけ）」政権とよびます。

この自民党の手法は禁じ手でした。決してしてはならない選択だったのです。なぜなら、憲法についても改憲（自民）、護憲（社会）、安保についても賛成（自民）、反対（社会）とイデオロギーが100パーセント異なるからです。そんな自民党と社会党が連立を組んだのです。そして社会党党首・村山富市《むらやまとみいち》氏を首相に就任させ、自民党は政権党とはならなくても政権与党に復帰しました。自衛隊の存在を違憲《いけん》とする護憲派の旗頭《はたがしら》だった村山氏も、自民党と連立を組むと、自衛隊合憲派になりました。

これは、有権者に対する大きな裏切りです。憲法改正に反対して社会党に投票しても、自民党は社会党と連立していますから、自民党に力を貸す結果を招くことになります。わたしは、戦後日本政治の中で最悪の連立政権だと思っています。その後、このおろかな選択のために、事実上、社会党は消滅します。

有権者に眼を向けてみましょう。

自社さ政権の下では、有権者はどの政党に投票すればいいのでしょうか。混迷は一層深まるばかりです。その結果、政治離れ、政党離れが加速するのは当然のことといえます。無党派層は、積極的な支持政党を持たないだけではなく、政治的無関心をも示し始めたのです。とはいえ、有権者の40パーセントが「支持政党なし(無党派層)」という現在の状態は、やはり異常です。この異常を是正するのは、これからの若者の役割だと、わたしは思っています。

社会の中で変えるのが一番難しいのは、人の「考え方」だと思います。家の改築、車の買い替えなど、ハードの入れ替えは容易です。しかし「考え方」というソフトを変えるのはとても難しいことです。若い時に身につけた考え方は、ある意味では一生続くのです。

ですから、若い人たちには、フレッシュな頭脳を持っている時期に、積極的に政治とのかかわりを持って欲しいのです。それが、一生続く、政治に対するみなさんの考えの基礎となるのです。この時代に「わたしの1票なんか、何の役にも立たない」と思ってしまうと、その考え方は、生涯続くでしょう。そのことを、わたしは一番恐れています。

前にも述べましたが、わたしは戦後生まれで自民党が圧倒的に強い時代に、高校、大学時代を経験しました。わたしの生涯で、自民党が政権を失うことなどありえないと思いつつ、投票してきました。結果は変わらないと思っていた1票、1票によって、93年～94年、2009年～2012年、政権交代がおきているのです。

今の与野党の勢力図を見ていると、自民党と公明党が野党になる時代など来ないと思われるかもしれません。自公政権支持率が約40パーセントに対して、野党第1党の立憲民主党の支持率は、2019年現在において、10パーセントにも満たないことは前に書いた通りです。

しかし積み重ねた1票は、ある日突然、「神の一突き」のように与党を野党に変えることもあります。慣性の法則からすれば、静止し続けていた物体(心)にある力が加わり、運動を開始する時が来ます。ハート・ワークが働くのです。

3　受け皿が欲しい

では、有権者はどのような政党システムを望んでいるのでしょうか。

自民党を強く支持している人は別としても、無党派層の中には、政権交代を意識している人も多いのではないでしょうか。

投票率を見ても、第二次安倍政権の歴史的長期化によって投票率は下がってきています。戦後の推移を見ると、1955年以来、自民党政権を脅《おびや》かす政党は存在しませんでした。自民党がなぜこれほど長期政権を維持できたのか、それは「開発独裁」という政治手法を取り続けたからです。

みなさんに、ぜひ知っていて欲しい政治システムがあります。それが「開発独裁」です。独裁と聞くと、ヒトラーやスターリンのような政治的独裁者を想定しがちですが、「開発独裁」はヒトラーのナチス政権のような「政治的独裁」とは大きく異なり、選挙の結果をもとにして長期政権を築きます。

開発独裁は、特にアジアで起こった政治システムで、経済開発を約束する代わりに政治的支持を取りつける政治体制です。ですから、あくまでも選挙を通した民主主義的な政治システムです。

アジア、それも東南アジアは1980年代になって急激に経済成長を果たします。その典型的な国家として、シンガポール、マレーシア、インドネシアがあげられます。これらの国の指導者は、当然選挙によって選ばれています。しかし20年、30年と長期にわたって政権の座についているのです。

その指導者が政権を維持した長さを示しておきましょう(図表3－4)。

戦後日本を見た場合、自民党は、2度の政権離脱があります。そして首相の在任期間も平均すれば2年程度と、それほど長くはありません。端的に言えば、コロコロ首相が代わっているといえます。現在、安倍政権が歴史的な長期政権を維持していますが、それは例外的なことだといえるでしょう(図表3－5)。

だから開発独裁には見えないのですが、指導者レベルではなく政党レベルで言えば、自民党による開発独裁体制が維持されてきたといえるのです。自民党に投票してくれれば経済発展を約束するという政治運営です。みなさんには、公共事業優先(開発優先)と言えば、理解が早いでしょう。

自民党は、政権維持政党となるために幅広い政策を実施してきました。60年に安保改定を

図表 3-4　開発独裁の政権維持の長さ

国家	指導者	政権維持の長さ（在任）
シンガポール	リー・クワンユー首相	1965～90年（25年）
マレーシア	マハティール首相	1981～03年（22年）
インドネシア	スカルノ大統領	1945～65年（20年）
	スハルト大統領	1968～98年（30年）

＊ただし、マハティール首相は 2018 年に、再び首相に就任しています。

図表 3-5　歴代内閣総理大臣(1998年以降)

小渕恵三(自民党)	1998〜2000年
森　喜朗(自民党)	2000〜2001年
小泉純一郎(自民党)	2001〜2006年
安倍晋三(自民党)	2006〜2007年
福田康夫(自民党)	2007〜2008年
麻生太郎(自民党)	2008〜2009年
鳩山由紀夫(民主党)	2009〜2010年
菅　直人(民主党)	2010〜2011年
野田佳彦(民主党)	2011〜2012年
安倍晋三(自民党)	2012年〜

は当時480議席ですが、その480議席の中で、時には200を超える議席が自民から民主、民主から自民へと、選挙のたびに振り子のように大きく動いたのです。

これは無党派層が大きく作用した結果と言われています。政権交代時を見ると、それまでの無党派層はあきらかな支持政党を持たなかったのに、その時々の選挙で一挙に自民から民主へ、そして民主から自民へと変化したのです。

このことは何を意味するのでしょう。政権与党の受け皿となる政党があれば、無党派層は敏感に反応するのだともいえるのではないでしょうか。社会が複雑化し、多様な価値観が求められる現代社会において、特定の政党だけが長期にわたって政権を握ることを好ましく思わない有権者もいるのかもしれません。

2017年の総選挙で、東京都知事の小池百合子《こいけゆりこ》氏が「希望の党」を立ち上げました。急ごしらえの政党でしたので、候補者選びから政策づくりまで、未完成だったにも拘《かか》わらず、その未完成な「希望の党」への支持を表明した有権者の数は、少なくありませんでした。

政党支持変動は、どうして起きたのでしょうか。それは端的にいって、自民党に代わる受

図表 3-7　自民党と民主党の議席変化

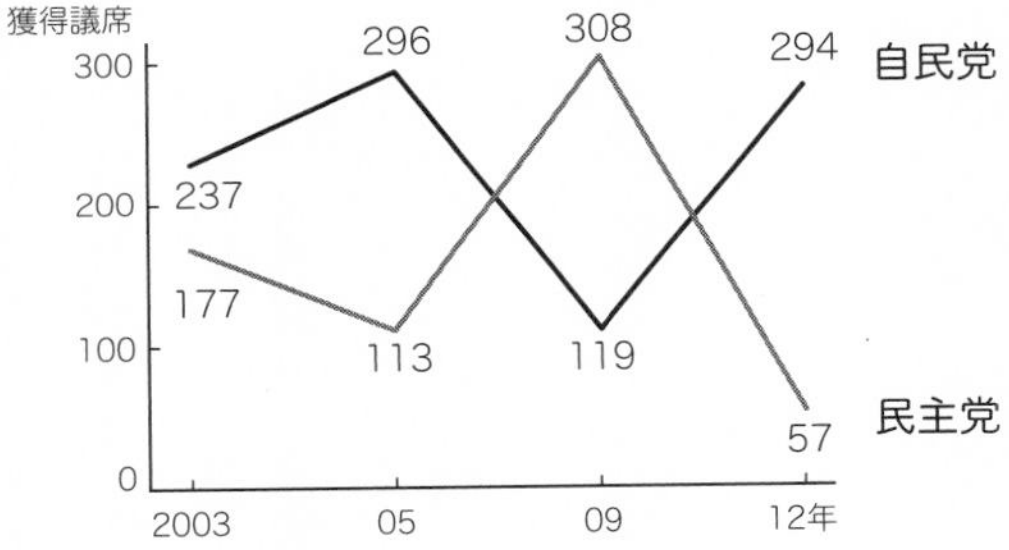

出典：NHK 選挙 WEB をもとに著者作成。

け皿が欲しかったようにも見えます。

1990年以前の自民党単独政権時代には、社会党は受け皿となる議員の数を持っていませんでした。自民党議員の半数しか社会党議員は存在しなかったのです。これでは受け皿にはなれません。

しかし民主党は名実ともに受け皿となったのです。民主党が3年で政権を失うのは、政権維持の経験不足から政策の失敗を繰り返したからです。希望の党は、民進党と手を組んで、政権奪取を目的とするというスローガンを立て、当時の小池人気も手伝って多くの支持を得たのです。

希望の党の戦略は失敗におわりましたが、このように無党派層は、政権与党の受け皿党があればそちらを支持して投票する可能性があることを示したともいえます。

2012年に民主党が政権を失って以来、野党は分裂に分裂を重ね、少数政党に落ち込んでいます。無党派層を動かす受け皿党は、ここしばらく現れそうにもありません。それが結果として、安倍政権の長期化につながっていると言えるでしょう。

4　あなたも無党派ですか

わたしは、若い世代のみなさんに、投票に出かけることを訴える以前に、大人の有権者が、どのような投票行動をとってきたのかを伝えたいと思っています。有権者の歴史です。「有権者学」とでも呼ぶべきものです。

そして、有権者の歴史的な姿を知り、その姿と自分の有権者としての意識とを対比して欲しいのです。それをせずに「無党派層」のひとりとして自分を位置づけて欲しくないのです。

もちろん現実に「無党派層」の一員であってもかまいません。重要なことは、自己の姿、たとえば無党派層の一員としての自分を映すカガミを持ってほしいのです。自分の姿をカガミに映すという作業は、自分は無党派層でいいのか、疑問に思うキッカケになるかもしれません。その時、あなたにも「神の一突き」として、投票の動機が生まれることを期待しています。

すでに説明しましたが、あらためて確認しておくと、選挙は窮屈な枠組みです。投票所に行き、投票所に掲示された候補者の名前、あるいは政党名を記入するだけです。選択の幅は、候補者と政党によって決められています。

選挙は、候補者や政党と有権者の対話です。しかし対話する一方である有権者は、日本全国に1億人存在しますが、対話する相手は、選挙管理委員会に届け出をした候補者と政党だけです。

この限られた条件の中で、自分の意思を示して投票し、自分の意思が実現する可能性はかなり低く狭いのです。

浮動票が主要なパターンであった時代、すなわち1990年以前は、このように窮屈な選挙の枠組みでも、一定の機能を果たしてきました。それは、日米の軍事同盟に賛成か、反対か、ベトナム戦争に加担するのがいいのか、それとも反対か、自衛隊は合憲か違憲かといった争点が、候補者選択以上に重要な課題と考えられたからです。有権者は、これらの政策に賛成する与党か、反対する野党かと、候補者よりも政党選択を優先させるという構図を持っていました。ですから、投票のパターンはある程度決まっていたのです。

しかし自衛隊の存在も既成の事実となり、平成時代に生み出された不況のなか、生活関連の課題に関しては明確な政策の争点が見えていません。その結果、特定の政党を支持するのではなく無党派になるのです。


無党派が主流を占める時代にあって、有権者を選挙に向かわせるには、ふたつの要因が必要です。ひとつは、政党間に競争原理が働いているかどうかです。有権者の中には、二大政党制を望む声もあります。どちらが勝つか、勝敗の行方に興味を持ち、投票に行く動機が生まれます。しかし、現在のように野党が多数に分裂している状況では、投票に向かう「神の一突き」はうまれません。

有権者に「神の一突き」が生まれるもうひとつの条件には、政策があります。すでに述べましたが、消費増税導入の時、有権者の投票行動は大きく変化しています。しかし、3パーセント(1989年)、5パーセント(1997年)、8パーセント(2014年)、10パーセント(2019年)と、税率改定の回数を重ねるにつれて、有権者も一定の慣れを感じてきたせいか、初期ほど鋭く反応しなくなりました。

今の政治状況を見ていると、選挙による政権交代が起こる条件はありません。しかし、みなさんにも、いつか熱狂するような選挙が訪れる時が来ると思っています。

現在言えることは、有権者は与えられた候補者と政党の中から、1票の選択をしなければならないという事実です。その結果、無党派層が増えるとしても、多くの責任は、有権者ではなく、候補者と政党の側にあるということです。

投票率の低さが話題となりますが、第2章「図表2-6 衆議院選挙における投票率の推移」でみたように、投票率の推移は不思議なほどデコボコしています。前回が高いと今回は低い、しかし次回はまた高く……といったようにです。

確かに、全体的な傾向として見れば、なだらかな下降を示していることには、間違いはありません。しかしながら、一方的に投票率が落ち続けている訳でもないのです。

ただ、前にも述べましたが、2012年に第二次安倍政権が誕生して以降、低下傾向にあります。これは、投票しなくても自民党が政権維持をするという期待から来ているのでしょうか、それとも、どうせ自民党が勝利するんだという無力感から来ているのでしょうか。その判断は、みなさんにゆだねます。

ただ、憲法改正は、大きな争点であることは忘れないでください。改憲を目指す勢力が協力すれば、憲法改正の発議が可能となる議席を確保できる時代に入っています。これは、無党派層も無視できない、戦後最大の争点のひとつといえるのではないでしょうか。

憲法改正の発議が国会で可決されたとして、次に国民投票があります。憲法改正に対しては、「憲法改正国民投票」という直接的な政治行動が、みなさんを待っています。その時、「神の一突き」が生まれるかもしれません。

第４章

有権者をとりまく社会は流動化している

1　教育は流動化している

第2章では浮動票層を、そして第3章では無党派層を問題にしてきました。浮動票層を無党派層に変えた大きな要因のひとつは、消費税という「神の一突き」でした。そしてそれに拍車をかけたのは、バブル崩壊であり、1990年代の新党ブームでした。

これらは、政党側がつくった、無党派層を拡大させる条件です。

しかし、政党側ではなく、有権者の側にも、無党派層を拡大させる条件が、90年以降に表面化してきました。端的に言えば、有権者を取りまく社会が流動化し始めたのです。その結果、無党派が現在の多くの有権者の姿となったと言えます。

つまり政党の側と有権者の側が相互に影響しながら、いわば車の両輪として無党派層は拡大し、定着していったのです。

そこで社会の流動化について考えてみます。

第1の要因に、教育の流動化（大衆化）があげられます。60年代から70年代にかけては、高校生が大学に進学する割合は全体の15パーセント前後でした。大学に進学する人の割合はまだまだ少なかったのです。その頃、大学はエリートを養成する教育機関だと言われていました。

当時は、有権者年齢は20歳からでしたから、18歳人口の85パーセント前後が、高校を卒業して就職してから有権者となりました。そのため、18歳から20歳までの2年間、企業や組合を経験して、社会人としての経験を積み重ねてきたのです。

イングルハートというアメリカ人の有名な政治学者は、78年に『静かなる革命』という本を出版しています。そこでは、大学進学者の数が拡大すると市民性に富んだ人が増え、それらの人々は、競争原理と利益主義に走る社会システムを選ぶよりも、貧しい人々が安心した生活ができる、福祉国家を目指す政党に投票するだろうと予測しました。端的にいえば、競争性より公共性を優先させる有権者層が拡大すると予測したのです。そしてその結果、社会民主主義的なイデオロギーを持つ政党が政権を握り、社会は暴力ではなく、選挙という投票を通じて、福祉国家に成長していくだろうと主張したのです。暴力を使わずに選挙による体制選択ですから、「静かなる変化」、すなわち「静かなる革命」が生じると考えたのです。

しかし90年以降、バブルが崩壊した後の時代にあって、2007年には大学進学率は50パーセントに達しています。大学進学率が15パーセントの時代は、大学はエリート教育の場でしたが、50パーセントを超え二人に一人が大学生になると、大学はエリート教育の場ではなく、マス教育の場へと変化しました。

この状況で、大学生の中で、イングルハート言うところの市民性を持った「市民としての有権者」が必ずしも増加したわけではありませんでした。学生はまだ就職もしていませんし、社会人としての経験もしていないのです。社会への関心も低く、公共性が育まれる機会は多くはありません。結果、イングルハートの予測とは異なって、「静かなる革命」は起きなかったのです。

マス化した大学生は、就職して企業の競争原理にくみ込まれていきます。不況の中で、企業は、雇用関係を成長型の安定した形態から、競争原理を基本とした形態に変えていったからです。

終身雇用、年功序列、企業別労働組合が幅をきかせた時代は、若者は働きながら企業や組合のなかでの社会経験を通して、政治に関心をもち、一定の決まった方向性を持つ政党に、変わらず継続して投票してきました。

50年代から70年代にかけて、多くの中学卒業生は、高校に進学するのではなく、生まれ故郷を離れて労働人口が大幅に不足する大都市、東京、名古屋、大阪などに出て就職しました。中学卒業生は、「金の卵」と呼ばれ、集団で大都市に就職したので、故郷から大都市に向かう集団就職列車が特別に用意される時代でもあったのです。

中学卒業生ですから16歳です。有権者年齢は20歳ですから4年間、選挙権なしで過酷な労働に励んだのです。この間に社会経験を積み重ねていきました。

けれどもバブル崩壊以降(90年以降)、企業では終身雇用を保障するどころか、社員を解雇するリストラが幅をきかせるようになったのです。その結果、企業に就職した多くの若者は、企業利益の恩恵を十分に受けることもなく、また労働組合活動を経験することもありませんでした。政治に関心を持つ機会がないため、決まった政党を支持することなく無党派へと向かいます。

この変化の中で、高校生は、競争社会に打ち克つために偏差値の高い大学を目指し、わき目もふらずに受験勉強に邁進する傾向が強くなります。そのような中では市民性が育まれる機会も限られますから、有権者となっても政治への関心は持ちにくいでしょう。

こうして若者たちが、市民としての有権者(公共性の精神に富んだ有権者)になる可能性は限りなく弱く、低くなってきます。まさに大学のマス化と企業の雇用形態の変化が無党派層の増大に寄与するようになったのです。

若者が無党派層に向かうのは、若者の責任ではなく、若者を待っている社会が、無党派層を生み出す条件をすでに満たしているからなのです。

豊かになった日本は、その豊かさを教育費に充て、結果、高校進学率、大学進学率が高まりました。高い教育を受けることは社会的に好ましいことです。高い教育を受けて有能な人材となり社会に出ることができます。

しかし高い教育は市民性を備えた人々の増大に結びつきませんでした。能力主義の社会の

図表4-1　18歳人口の進学率の変化と投票行動

年　代	進学率	投票行動
1960〜70年代	大学生15%	浮動票層
2000年以後	大学生50%	無党派層

中で、競争に勝ち抜こうとして、人々は政治に眼を向けることはしなくなってしまいました。無党派層の増大は、教育の高度化が生んだ皮肉な現象ともいえます(図表4－1)。

2　居住地の流動化が始まった

第2の要因は、居住地の流動化です。有権者について考える時、一般に、同じ有権者が同じ選挙区につねに住んでいると考えがちです。しかし、たとえば福岡市の場合、人口の8パーセントにあたる学生人口12万人が福岡市に居住していますが、多くは大学卒業後、就職によって福岡市を出ていきます。

それ以前に、高校生の時に親許《おやもと》を離れて、他の都道府県に移り住む場合もあります。私学の全寮制の高校も多いので、高校の国内留学が増えているからです。とりわけ運動部などはこの傾向が強く、野球の強豪校は全国から有望な中学生を集めて甲子園を目指しています。

それに関連して興味深いエピソードをご紹介しましょう。全国高校野球の甲子園大会で、たとえば40校が出場したとします。開会式では、前年度の優勝校を先頭に、入場します。この選手入場では、以前は「福岡県代表、○○高等学校」と紹介されたのですが、今は「県名」はなくなっています。「福岡県代表」ではなく、「福岡代表、○○高等学校」と紹介されるようになったのです。それは野球留学の結果です。

福岡県代表と呼べば、福岡県に生まれ育った高校生の代表と考えられます。しかし、その○○高等学校の野球部の多くの部員は、他の都道府県から野球留学で福岡県に居住しているケースが多いのです。県民の代表ではなく、福岡の代表ということになります。是非、次の甲子園大会の選手入場のアナウンスに注意してみてください。

公立の高等学校には校区が設定されていますので、自分の居住地にある高等学校に通うのが通例です。しかし、大学に関しては、国立、公立、私立の別なく、校区の設定はありません。全国からどの大学に進学してもよいのです。

大学進学率が18歳人口の50パーセントに及んでくると、そこでは出生地と居住地の乖離《かいり》が始まります。さらに卒業後就職してから転勤もします。福岡市の事例でいえば、福岡市は支店経済の街と呼ばれ、転勤族の集まりとも言われています。

東京から福岡に数年移り住んで、また他の都道府県に転勤することはめずらしくありません。この傾向は、国内だけにとどまりません。

かつて80年代に日本は国際化の時代を迎え、急激に海外勤務も増えました。

一度調査したことがあるのですが、福岡市に本社を置く7つの企業は、70年から93年（調査ではこの年度間のデータしか入手できなかったのです）の23年間に、約150の海外支店、海外営業所をつくっています。特に、86年と87年の2年間に、その半数に及ぶ、約70の海外支店、営業所がつくられました。

80年代のバブル期、日本経済があまりにも強すぎるというので、世界の主要国の首脳たちがニューヨークにあるプラザビルに集まって、それまで1ドル240円前後だった為替レートを、1ドル120円とする円高政策を取りました。これを「プラザ合意」（85年）と呼んでいます。

円高政策とはなんでしょうか。為替レートを円高に誘導することによって、日本企業の経済力を抑えようというものです。たとえば、日本で生産した商品が、アメリカに輸出され、アメリカでドルで販売されると、それまでは1ドル＝240円の売り上げがあったのが、同じ生産でも、1ドル120円しか売り上げがなくなり、企業収益は、半分に減少します。そのため、企業が利益を上げるためには人件費を抑える必要がでてきます。

そこで86年から安い労働力を求めて、日本企業が一挙に海外に進出しました。とりわけ、東南アジアが多く、シンガポール、マレーシア、インドネシア、タイ、フィリピンなどに工場を移転させました。

それによって海外勤務が拡大しても、選挙区はそれらの人々が住む海外にはありません。国政選挙では、海外から郵送で投票することはできますが、自分の住んでいる地域で候補者の顔を見たり生の声を聴いたりすることはできませんから、次第に候補者との関係は疎遠になっていきます。

生まれ育った地域に住み続け、出生地と居住地がずっと変わらない人は、選挙のたびになじみの候補者が立候補していることが分かります。候補者の人柄や訴える政策についてもよく分かります。けれども、高校留学をする高校生にしても、就職して地元を離れる大学生にしても、転勤族にしても、海外駐在員にしても、なじみのない地域に住まいをかまえますから、候補者との接点は希薄になります。選挙公報に書かれた候補者の政策や政党の公約などを通してしか、候補者や政党の情報を手に入れることはできないのです。

福岡市の中心部を地盤としている政党の元幹部の秘書からある調査の時に聞いた話をここで紹介しましょう。選挙の具体的な情報になるので詳細は教えてもらえませんでしたが、選挙運動用の葉書(法定ハガキ、公選ハガキなどと呼ばれています)を出すと、10万人に対して約4万人のハガキが「転居先不明」で返送されてくるそうです。「転勤族ばかりで、本当に固定票って少ないんですよ」とは秘書さんの言葉です。

かつては、人がこれほど移動することはありませんでした。しかし現在では、移動が激しくなったので、有権者と候補者との接点が少なくなり、結果として有権者は政治に無関心になり、無党派層が拡大するのです。

浮動票層と無党派層の相違を示しておくことにしましょう(図表4-2)。

図表 4-2　浮動票層と無党派層

	年　代	居住地の移動	候補者との接点
浮動票層	1990年以前	少ない	多　い
無党派層	1990年以降	多　い	少ない

まさにこの居住地移動という流動化が、無党派層の増大につながっているのです。余談ですが、選挙の調査研究書などに、20年前、10年前と比較すると、現在ではこれほどの変化が起きていると書かれていることがよくあります。そういう調査結果を見るたびに、同一の有権者を20年間フォローした調査のような錯覚に陥りますが、調査対象者は、20年前、10年前と現在とではまったくの別人なのです。そういう認識が選挙調査をする人の側にあるのでしょうか。疑問です。

3　社会は急激に個人化している

1980年以前は、家族が社会の基礎となる単位でした。家族の周囲に地域があり、その地域をとり囲んで社会が成立していました。選挙のときには家族で候補者について話し合うという習慣もありました。

当時は、男女の役割分担の意識が強かったので、お父さんが会社に出かけ、お母さんは家事に励み、子どもたちは学校に通うというパターンが家庭の原型でした。お母さんは専業主婦で、子どもが生まれるとその子を連れて公園に散歩に出かけたものです。そこで他の家庭のお母さんと知り合い、いわゆるママ友ができたのです。

平均寿命は75歳程度でしたので親の老後の介護も家庭で行っていました。そして最期は家で看取《みと》りました。多くの高齢者の死亡は「老衰《ろうすい》」(死亡原因は、高齢のためという意味です)と診断されたものです。このように、出生から看取りまで、基本的に家族が世話をするのが普通でした。

しかし、現在では、家族そろって同じ時間に食卓を囲むことは、少なくなってきました。朝食は、早朝の部活動に行く中学、高校生の子どもが一番にすませることもあります。朝食を取らずに学校に行くケースも増えました。父親の帰りは残業で遅く、働く母親も増えました。子ども達は夜は塾通いのため、それを終えて帰宅し、バラバラに夕食を取ります。

家族という単位がありながら、ひとりで食事をする孤食《こしょく》の時代に入りました。家族ではなく、個人単位で生活がなりたっているのです。

個人が基礎となる社会がすすんでいます。わたしは、それを「個人化の時代」と呼んでいます。個人化は家庭だけでなく、社会のさまざまな側面で見出すことができます。

サラリーマンは、定年退職後、企業という組織から追い出され、組織人間ではなく個人化した人間になってしまいます。寿命がのびたので、個人化した高齢者の人生は、定年退職後も20年、30年と続きます。他方、若者も、非正規雇用が多くを占める時代にあって、仕事がない時は、組織からはじきだされて個人化します。

さらに、働き盛りの年齢でも、リストラによる早期退職がすすみ、強制的に企業の外にはじき出されるのです。経済の動きが激しく、企業も企業形態、雇用形態を変えないと存続できないのです。そのため、人生の安定基盤であった終身雇用制度は、夢の世界へと消え去ってしまいました。

女性も働く時代になりました。育児休業を終えると職場に復帰します。男性が育児休業を取れることはまだ少ないため、赤ちゃんは保育園に預けられます。その意味では、赤ちゃんも家庭という単位からはじきだされていくのです。

個人化した人々の、個々の利益を集約して政治の場に運ぶ組織は、存在しません。すでに述べましたが、政党には利益団体、たとえば企業の場合は経団連、労働者の場合は組合や連合、農家の場合は農協という利益団体が存在しています。組織からはじきだされていなければそれらの組織を通じて、自分たちの利益を追求することができます。

しかし退職高齢者は、政党に強いつながりをもつ組織を持ち合わせません。非正規雇用の労働者も、形式的には組合はありますが、政党に自らの利益を導いてもらうほどの力はありません。仕事をもちながらも保育園などに子どもを預けることができず、保育園に空きが出るまで自宅で子どもの世話をせざるを得ない保護者も、待機児童問題支援団体はあるにしても、政治家とつながりをもつほどの力はありません。

このように組織からはじきだされた人々が、急激に増えているのです。個人が抱えている個別の問題を政治問題にする力はそこにはありません。

図表 4-3　個人化と投票行動の変化

年　代	単　位	投票行動
1990年以前	家　族	浮動票層
1990年以降	個　人	無党派層

それぞれの政党は、選挙になると高齢者の票が欲しい、待機児童を持つ親の票が欲しい、派遣労働者、あるいは時給制で働いている人々の票が欲しいという意味で、年金問題、子育て問題、働き方改革問題、最低賃金アップなどの公約をかかげます。しかしスローガンだけのこともあり、それらの問題が実際に解決されることはあまり期待できないと言えるでしょう。

このように個人化した人々は、政党につながる組織をもたず、最終的には無党派になっていきます。政治的無関心になり、投票率も低下します。政治に、自分たちの問題を解決する力がない、と思うのです。無党派は、投票に出かけない、あるいは選挙ごとに投票する政党を変える傾向に走ります(図表4－3)。

家庭が社会の基礎単位であった時代には、子ども達と親が食卓を囲みながら、選挙の話や投票の話を出来たのです。けれども、個人化の時代になり、家族で投票の意味を語り合う場、すなわち家庭教育の場がなくなったというのは、社会的な悲劇です。

4 「コンビニ文化」で地域は同質化している

浮動票層が多かった60年代には、「中央集権」という政治システムが幅をきかせていました。何事も中央が地方のことを決めるので中央集権と言われたのです。他方、無党派層が増えた90年代には、「中央集権」に対して「地方分権」が叫ばれ、地方のことは、地方で決めるという発想が強くなりました。

しかし日本の各地方が同質化するにつれて、「中央集権」も、「地方分権」もあまり叫ばれなくなりました。逆に、中央も地方も同じ様相を示すようになったのです。

テレビの天気予報で「東京地方の天気」と呼ばれるように、東京も「中央」ではなく「東京地方」です。しかし一般的には地方は、いまだに中央に対する田舎というニュアンスが残っていますので、ここでは「地方」ではなく「地域」と呼ぶことにします。

全国の地域が同質化することは、ある意味では地域生活に良い影響をもたらします。しかし必ずしも良い面だけでなく、ポジ(肯定的な面)とネガ(否定的な面)の両方が存在しています。それによって、利益を得る人々と不利益を被る人々がいるのです。良いこと(ポジの側面)だけを想定しないようにしてください。

同質化について、3つの側面をとりあげます。

第1は、生活文化の同質化です。第2に、産業の同質化です。そして第3に、過疎化、少子化、高齢化という人口問題の同質化です。

まず、生活文化の同質化の問題から始めましょう。

松田《まつだ》聖子《せいこ》さんという歌手がいます。ナショナル・アイドルとして世代を超えた人気のあった最後の歌手だと言う説もあります。

他方、現在ではどの地域でも地元からアイドルが出ています。ＡＫＢ48は東京の秋葉原を拠点とした地域アイドルで、福岡には博多から3文字とってＨＫＴ48という地域アイドルがいます。これらのアイドルは、松田聖子さんのように日本全国で人気を持つナショナルなアイドルになるのではなく、地域に住む人々に、身近に感じられる地域アイドルになることを目的としています(結果として地域を超えたアイドルになりましたが)。アイドルの地域的な同質化です。

地域アイドルだからと言って、それぞれの地域が独自につくりだしたアイドルというわけではありません。全国展開するプロダクションが戦略として、各地域にアイドルをつくっているのです。アイドルは地域ごとに異なっても、各地に地域アイドルをもつという意味では、芸能活動の全国的な同質化だといえます。

音楽やゲームなどについても同様なことが言えます。スマホさえあれば、全国どこにいても同じように新しい音楽やゲームを楽しめます。若い人々は、スマホというツールを使って、全国同質の若者文化を楽しんでいます。

興味深い話があります。それまで24時間営業していたあるファミリー・レストランが夜間、閉店を決めました。コンビニの夜間営業の停止は人手不足によりますが、ファミリー・レストランの場合は、夜間にお客さんが集まらなくなったからだそうです。

LINEなどのSNSを通して日常的に会話しているので、わざわざ実際にレストランで顔をあわせる必要がなくなったのかもしれません。そもそも高校生のみなさんは、深夜に外出してファミリー・レストランなどに集まることなどないかもしれませんが、ひとつの現象として理解してください。

このような地域の同質化現象の例は、生活文化の中で数多く見つけ出すことができます。郊外に出ると、どの地域にも大型ショッピング・モールがあります。大型家電量販店、ドラッグ・ストアなど、全国一律に似たようなお店があります。高校生のみなさんも、家族と一緒に車で、これらの商業施設に出かけた経験があるでしょう。

さらに、みなさんになじみの深い予備校も同様です。全国規模の予備校が各地に存在しているのです。

もっとも身近な商業施設はコンビニでしょう。コンビニは家庭の冷蔵庫とも呼ばれています。都会に住んでいてもコンビニが遠いと田舎のような不便さを感じ、田舎でもコンビニが近いと都会のような便利さを味わえます。コンビニは、全国の生活用品店を均質化しました。いまやコンビニなしでは生活がなりたちません。

いままであげた商業施設は、多くの地域の住民生活を便利にしたという意味ではポジの側面が強いですが、地元商店街をシャッター通りにしたという意味ではネガの側面を表しています。いいかえれば、私たちはこの便利な消費文化を楽しむことで、全国一律に豊かになりました。しかしその反面、古くからある地域の商業施設、特に駅前商店街は衰退の一途をたどっています。

しかし地域に住む、若者を含む多くの人々は、生活文化の同質化によるポジの面を評価していて、地元商店街の衰退にあまり関心を向けません。自動車さえあれば、いろいろな地域を苦労なく移動できるので、地元への関心は薄れています。

次いで、産業の同質化です。過疎化する地域に住んでいる人々にとって、就職は大きな問題です。いま各地域で注目されているのは、ＩＴ産業です。ＩＴを利用してアイデアを創造、実現するのに、都会にこだわる必要はありません。インターネットを通して、どこに住んでいても世界とつながることができますから、田舎に空き家を借りて、4、5名の若者が共同生活しながら、ＩＴ会社を経営しているケースもめずらしくありません。

わたしの大学の卒業生の1人が、岡山県のある町にＩＴの専門学校を作りました。岡山県ですから、果物を中心とする農産物、瀬戸内海特有の海産物が豊富にあります。地場《じば》産業の果物農家や水産業の人々は、商品の販売先を全国展開したいという希望をもっています。そこでネット通販が必要になります。そのため、このＩＴビジネス専門学校を卒業した学生の多くは、ネット事業の担い手として地域に根付いていきました。同様な地域は、全国に数多くあります。みなさんも、ＩＴ産業は、就職先として高い関心を持っていることでしょう。

地産・地消という言葉がはやりましたが、これはとりわけ農産物に特化して言われることが多いですが、農産物に限らず地元で生産された商品が、ＩＴというツールを活用することによって、その地域だけの消費にとどまらず全国展開、海外展開しています。

ＩＴ産業によって、全国、どの地域に住んでいても、同じ商品を手にすることができるのです。ただし、ここにもポジとネガの両面があります。多くの人に好まれる生産物は、広域に商業圏を広げますが(ポジの側面)、必ずしもすべての生産物が多くの人に好まれるとは限らず、そこに大きな格差が生まれてしまうのです(ネガの側面)。

地域アイドル、ショッピング・モールなどの地域の商業施設、ＩＴによるネット通販を、わたしは「コンビニ文化」と呼んでいます。必要なモノが、必要な時に、身近で手に入るという意味で、地域の生活文化は、「コンビニ文化」なのです。

先に述べましたが、ＨＫＴ48、大型ショッピング・モール、家電量販店、ドラッグ・ストア、予備校などは、地域が作り上げたのではなく、大規模商業資本などが中枢機能をになって、広域に展開しているのです。たとえば、福岡市に本社をおくドラッグ・ストアは、九州を中心として中部地方まで店舗を広げています。また大阪に本社をおく大型家電量販店は、全国規模で展開しています。

このように地域は、全国を商業圏にできる大資本に支配されているのです。大資本が全国各地に根付いている現状からは、大型資本が全国を支配している事実が、みえてくるでしょう。大手コンビニチェーンはその典型です。まさに「コンビニ文化」の時代です。

「コンビニ文化」は、地元商店街の廃業や、ＩＴ通販に乗れない生産物を作っている農家の衰退など、ネガの側面も招いていますが、多くの人々、特に若者がそのポジの側面に眼を奪われていくのは、仕方ないことなのかもしれません。

ただ、「コンビニ文化」が地域を支配することによって、若者は地域の課題に眼を向けるのではなく、「コンビニ文化」を享受する、「消費者としての市民」になってしまいがちです。つまり、地域の同質化は、「コンビニ文化」という消費文化を楽しめる条件を、全国各地域に根付かせました。その結果、「消費者としての市民」、ひいては「消費者としての有権者」を生むことになってしまいます。

この傾向は、若者の政治離れ、政治問題に対する無関心を拡大させ、結果として「無党派層」を生み出す土壌となってしまうのです。

しかし、地域には、ぜひ眼を向けて欲しい問題があります。それは、多くの地域が抱える人口の問題、つまり、同質化の第3の側面です。日本全体が、過疎化、少子化、高齢化という同質の問題を迎える時代になっています。

地域の自治体選挙などでは、人口を拡大するために、若者が移住してくる政策を訴えるケースがよくあります。しかし日本全体の人口が減少する中、この政策は小さなパイの奪い合いにすぎません。若者が流入してくる地域にはよいことですが、若者が流出していく地域が生じることは歓迎すべきことではありません。

地域が同質化した結果、中央集権の時代と異なって、若者が就職先を大都市以外の、中規模の地域に目指す傾向も増えてきました。東京は、物価が高い、通勤に時間が掛かる、空気や水質などの生活環境が悪いといった理由からです。

一番望ましいのは、一定の規模の人口を維持し続けることですが、日本全体で人口が減少している時代、それは不可能です。過疎化、少子化、高齢化といった人口問題は、「ネガ」の問題の同質化にあたります。多くの自治体は、過疎化、少子化、高齢化にともなう育児や介護の問題に直面しています。

これらは地域全体で解決すべき問題ですが、育児は、おもに20代、30代の世代が関心をもつ問題でしょう。他方、介護は親の世代に関心の高い問題ですので、若いみなさんは、やや距離を置いて見ているかもしれません。しかし各自治体、地方議会は、この問題に積極的に取り組まなければなりません。

本書ではここまで、「消費者としての市民」「消費者としての有権者」を全国一律にとらえ、

「無党派層」の拡大を語ってきました。また、「無党派層」の生まれた理由について、国政との関係で分析してきました。しかし、この人口問題については、それぞれの地域がどう取り組んでいるのか、調べてみる必要があります。

そのために、自分の地方の実情を知るためにもぜひ一度、みなさんの住む地方議会を傍聴《ぼうちょう》して欲しいのです。わたしが大学で講義をしていた時、「現場を知らずに政治を語るな」といって、福岡市議会、福岡県議会、そして国会に学生とともに傍聴に出かけました。福岡市議会では、特別な利害が絡む問題が討議される場合を除いて、傍聴者はほとんどいませんでした。

わたしの学生、20名ほどが傍聴席に着くと、議員たちは、後ろの傍聴席を振りかえり、「今日は傍聴者がいる」と拍手がわきました。傍聴には、年齢制限などはありません(幼児や児童が制限される場合はあります)。中学生でも外国籍の人でも可能です。

わたしは、身近な政治教育のひとつとして、議会傍聴を取り上げたいと思います。地域の子育て問題や介護問題などについて、地方の議会がどう取り組んでいるかを傍聴することは、「市民としての市民」、それにつながる「市民としての有権者」を育てる、「政治教育」の絶

図表 4-4　地域同質化における投票行動の変化

年　代	各地域	投票行動
1990年以前	中央集権	浮動票層
1990年以降	地域同質化	無党派層

好の機会といえます。端的にいえば、地方議会は政治教育の現場なのです。

「中央集権」と「地域同質化」における、投票行動の違いを示しておくことにします(図表4－4)。

このように人の移動、個人化、地域の同質化がすすむ時代にあっては、浮動票層の時代とまったく異なり、有権者も政治的に無関心になり、無党派層になってしまいます。みなさんが無党派になるのも当然だといえます。「コンビニ文化」は、無党派層を生む土壌となっています。

どうすれば、無党派の静止した心を動かす力が生まれるのか、「神の一突き」という偶然を待つだけでは意味がありません。幸運は準備している人に訪れると言われます。「神の一突き」も、ハート・ワークを準備した人に訪れるのです。

では、どのような準備をすればいいのか、そのことを、最後の第5章で、考えてみましょう。

第５章
選挙の前に足元の社会を知る

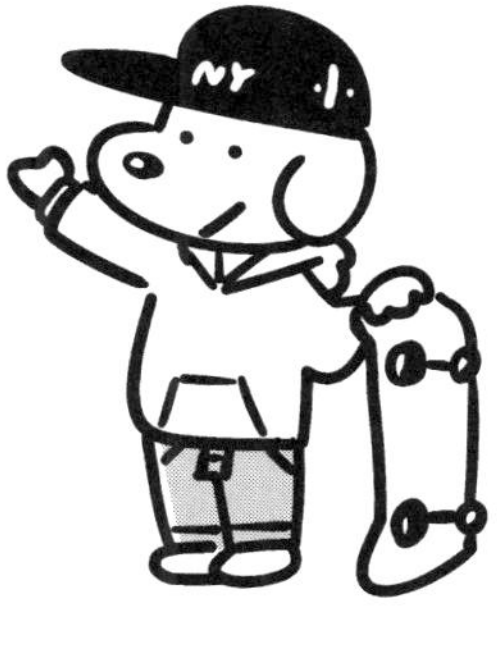

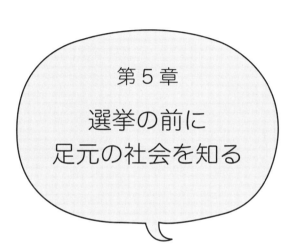

1　無知に気づく

「はじめに」で説明したように、わたしは本書で若者の選挙権だけを問題にしたくはありません。若者が無党派から脱却して欲しいとは思いますが、そのために、投票行動だけを問題にしてもあまり意味がないと思っています。

若者だけではなく、すべての有権者に言えることですが、選挙や政治の前に、まずみなさんが市民性(感動の伝達＝公共性に対する権利と義務をもった心＝ハート・ワーク＝投票の動機)に目覚めて欲しいのです。

選挙は、この公共性に対する権利と義務をもったハート・ワークのもと、市民性を発揮するひとつのツールなのです。公共性をもった「市民としての市民」が、ハート・ワークを発揮できる場面は、選挙以外にも日常生活の中にたくさん存在しています。選挙は、公共性を発揮するひとつの場面にすぎません。

では、どうすれば市民性が身につくのでしょう。第5章では、わたしの個人的な体験を織り交ぜながら、市民性を身につけるツールについてお話をしたいと思います。

このツールを身につける機会は、年齢や地域に関係なく、みなさんの生活の中、足元に存在しています。

まず必要なことは、自分の「無知」に気づくことです。無知に気づく一番いい方法は、異文化との交流です。異文化に触れると、自分がいかに自分の住んでいる社会を知らなかったかに、気付きます。

わたしの個人的な体験をお話ししましょう。わたしが九州大学の教員として働いていた時、留学生プログラムをつくりました。

そこでは英語で授業をしますので、留学生は世界中から応募をしてきます。アメリカからもヨーロッパからも応募してきますが、やはり圧倒的にアジアの学生が多くを占めていました。留学生たちは、ウズベキスタン、モンゴル、タイ、フィリピン、ベトナム、カンボジア、中国、韓国など、さまざまな国から九州大学に来て福岡で生活をします。

多くの留学生は奨学金を、学費や生活費にあてているため、アルバイトもせず勉強することに専念していました。これではいけないと思ったのです。というのも、このような生活パターンでは、彼ら彼女らは大学の教室と図書館と留学生寮を往復するだけで、ナマの日本、いやナマの地域、ナマの福岡の市民と接触する機会はほとんどないからです。

そこで、わたしは留学生と地元の高校生との交流の場を設定しました。留学生も日本の高等学校とはどんな様子なのか、興味津々でした。ある高校で放課後、希望者が学校に残り、約10名の留学生と約100人の高校生が交流したのです。

ひとりの留学生に10名程度の高校生が、テーマも決めず、日常的な雑談をするのです。あらかじめテーマを決めるよりも、このような雑談のほうが学習効果は抜群に上がります。テーマは自由ですが、ただひとつ、政治の話だけは入れて欲しいと、留学生にお願いしました。

今の高校生は、修学旅行で海外に出かけている場合もありますし、家族で海外旅行を体験している人もいるので、異文化との接触にはそれほど大きな違和感は持っていません。しかし、外国人と特にテーマを決めずに、自由に話した経験はそれほどないでしょう。

会話はそれほど難しいものでもありません。「どこの国から来たのですか?」とか、「日本のどこが好きですか？」といった単純な質問が高校生から多く出ました。

同じように留学生からも質問が出ます。「日本ってどんな国ですか？」「福岡はどんな街ですか？」などです。そして「日本の政治をどう思いますか？」「投票率はどれくらいですか？」と政治の話にも向かいます。日本経済についても質問が出ます。

一般的にいって、高校生はこのような質問を正面から受けた経験はありません。日本人の高校生同士、勉強や受験に関する話のほか、ファッション、アニメ、アイドル、それにゲームの話は多いかもしれませんが、政治の話はほとんどしないと言っていいでしょう。

しかしこの場面で、高校生は初めて外国人に、日本の政治や経済、あるいは日常生活について話す機会に出会うのです。予想通り、高校生たちはうまく説明できませんでした。

こうして自分の無知を知るのです。これはとても大切なことです。自分の知らないことが、身近にたくさんあることに気付くのです。

勉強とは不思議なもので、すればするほど、知らなかったことが増えて、さらに勉強する必要性にせまられます。慣性の法則です。自分の無知に気づく。それは「神の一突き」です。

慣性の法則は、運動(この場合、勉強ですが)を継続する方向に働きます。おもしろいことに、この学習意欲は、一直線にすすむのではなく、上昇して急カーブを描くのです。

この交流の後、参加した高校生たちにアンケートを取ったのですが、ほとんどの高校生の回答は同じでした。それはふたつあります。

ひとつは「自分が無知であることに気づかされ、とてもよい機会でした。日本の政治や経済、そして福岡の歴史や文化について、もっともっと勉強しなければならないと思いました」。これは市民性の芽生えです。市民性を育む、とても効果的な教育です。

もうひとつは、特筆すべきことです。「英語を母国語としないアジアの学生さんが、こんなに上手に英語が話せることに、驚きました。わたしたちも、もっと英語を勉強しようと思うようになりました」とほとんどの高校生が回答しているのです。

わたしは、これを読んで日本の英語教育は間違っていると思いました。多くは、話せる英語を学ぶことを目的として、英語を母国語とする先生を教壇に立たせています。高校生にとってナマの英語を聴くことができるので、刺激的でしょう。しかしそれだけでなく、英語を母国語としない日本の生徒には、同じように英語を母国語としない英語の先生も必要です。

これは、日本の高校生にとって、とても刺激的なことだと思っています。英語力を高めることは国際社会の課題に目を向けていくうえでも、重要なことです。

わたしのゼミの卒業生の1人が、アジアからの留学生を対象にした専門学校をつくりました。そこには120名の学生がいます。この卒業生(今は、その専門学校の校長になっていますが)に高校生交流を提案したところ、主旨に賛同して彼の母校の高校と、専門学校の留学生との交流を始めたのです。そこでは先に紹介したわたしの体験と、同じような学習効果が得られたそうです。そしてその後、その高校は正規の授業の中に、この交流プログラムを入れたそうです。

いま日本の多くの大学に留学生はいます。わたしが実施したプログラムは、どの大学でも始められる、市民性を育てるツールだといえるのではないでしょうか。このような身近な交流をすることで、留学生たちは高校生の市民性を確実に育んでくれます。

これも、わたしが偶然に得た体験です。留学生との交流の中で、高校生が現在の日本の姿を説明できなかった、いや説明する以前に、知識がなかったことに気付いたことは述べました。次に必要なことは、無知を知った自分が、自分の足元の社会を説明する力をつけることです。

2　地域を学ぶ

以前、九州大学に、シンガポール国立大学英語普及学科のリー先生という方が、短期滞在していました。英語普及学科は、シンガポール国立大学独特の学科です。シンガポールは多民族国家です。中華系、マレー系、インド系、イスラム系など英語を母国語としていない国から、シンガポールに移住してきた人々の子ども、孫の世代が住んでいます。

シンガポールが国語と決めているのはマレー語ですが、イギリスの植民地でもあったため、公用語として英語も使っています。したがって、その英語を普及させるための学科があるのです。

リー先生は、その主任教授であると同時に、シンガポール政府の要請で、シンガポール全体に英語を普及させる任務も担っていました。

キャンパスで親しくなったので、「リー先生、授業で学生たちにシンガポールのお話をしてくれませんか」と依頼したのです。「いいですよ」といって、リー先生は1時間、シンガポールについて話をしてくれました。

驚いたのは、英語の先生であるにもかかわらず、シンガポール社会と国家の歴史、文化等を、本当に理解しやすくお話をされたことです。

もし日本の英文科の先生が、シンガポールで日本についての講義を依頼された時、多くの場合は、「わたしは、英語はできますが、日本の政治、経済、文化を説明する力はありません」と、尻込みしてしまうのではないでしょうか。

しかしリー先生はまったく違っていました。確かにシンガポールは1965年に独立した若い国家ですし、国土も東京23区と同程度の小さな国家ですから、日本に比べれば説明は容易かもしれません。けれども、それだけでなく、リー先生は、シンガポールについて十分な知識を持っていました。

外国に行けば、日本人は日本人の代表とみなされます。そう気づいたので、以来、わたしも海外に出張するたびに、現地の大学の先生に頼んで、現在の日本社会について講義させてもらうようにしています。そのために、1時間で現在の日本社会について語れるだけの知識の習得と、説明の方法を勉強しました。簡単なことのように思われるかもしれませんが、いざ現在の日本の政治、経済、社会について話すとなると、それなりの準備と工夫が必要になります。

最近は交換留学制度があって、アメリカやオーストラリアなどの海外の高校に、生徒が留学する高校が多くなりました。また逆に、アメリカやオーストラリアなどの海外から、高校生を受け入れるようにもなりました。

現在の日本社会について説明する力は、どの高校生にも必要ですし、これからの日本を担っていくうえで、必須の知識だといえます。高齢化率、出生率、進学率といった基礎的な社会のデータや日本社会の特徴、課題についての知識を身につけておく必要があります。

それに加えて、自分が住んでいる地域についても学習して欲しいと思っています。

たとえば、九州には7つの県があり、九州の人口は、約1300万人に対して、福岡県の人口は約510万人です。実に九州全体の3分の1に迫る人口が福岡県に集中しているのです。

普段、そのようなことはあまり気に掛けずに暮らしているかもしれませんが、さまざまな資料を見ると、さまざまなことに気づくでしょう。

まず、自分の住んでいる町の人口や高齢化率など、基本的な知識をネットなどで得ることです。その町の基本構造ですから、ぜひ調べてください。

次に必要な知識は、基幹産業です。その地域が何を基本的な経済活動に置いているかを知ることも大切です。福岡市は、工業用水に適した水量をもつ川がないため、大規模な工場が少ないのです。そのため、福岡市の工業生産物の出荷額第1位は、食料品で、おみやげで有名な「博多明太子」です。一方、お隣の北九州市の基幹産業は鉄鋼業です。官営八幡製鐵所ができ、1901年に溶鉱炉が完成した歴史があります。

大きな工場がないという福岡市の都市構造は札幌市と似ているかもしれません。

加えていえば、福岡空港は、羽田空港、成田空港、関西空港に次いで、日本では4番目に離着陸する数が多いのです。福岡空港は、アジアに開かれているので、韓国を始め、ホンコン、タイ、ベトナム、シンガポールにも直行便で行けます。わたしは海外にでかける時に、成田空港、関西空港を使ったことは、ほとんどありません。インチョン空港(韓国)やチャンギ空港(シンガポール)へ飛ぶと、そこからヨーロッパへ、アメリカへ、オーストラリアへと、世界中へ飛び立つことができるのです。福岡空港は、世界に開かれているのです。東京という首都を経由しないでも、福岡という地域が世界とつながっています。福岡にはそのような特徴があるのです。

このような情報は、地域を知る基本です。何かの問題につきあたった時に必ず役に立ちます。みなさんも、ぜひ自分の住む地域について調べてみてください。

人口構成から都市構造や産業などを含めて地域を知る、そして住んでいる地域の足元を少し注意してみる中で、地域の「ひずみ」に気づきが起きてきます。それがひいては、「市民としての有権者」の基礎となっていくのです。

では、それらを調べる資料はどこにあるのでしょうか。多くの場合、ネットで検索すればある程度の数字は出てきますが、けれども、ネット検索だけに頼るのではなく、実際に自治体に出かけることも大切です。学習目的で地元自治体の現状を知りたいとの主旨を事前に伝えて行けば、役所の人がなんらかの対応をしてくれるでしょう。

日本を学ぶには、地域を学ぶには、学校を飛び出せ！　それがわたしの教訓です。

そして、それらを調べる中で、自分の知識の少なさに気づくと同時に、自治体の「ひずみ」にも気づくのです。これもまた、「市民としての有権者」を育てることにつながります。机の前にじっと座っているだけでは、市民性は育まれません。これらの活動は、公共性に対する開かれた精神の持ち主になる、大きなきっかけとなるのです。「神の一突き」は、足元に用意されています。

3　地域の課題に出会う

現在では多くの地域で、経済的貧困をかかえる子どもたちを支援するために、「子ども食堂」や「学習支援教室」が増えてきています。

これもわたしの体験ですが、地元でＮＰＯ活動をしているＴさんと、偶然懇意になって、このふたつの活動にかかわるようになりました。

もう5、6年前になりますが、Tさんから、「子ども食堂のお手伝いをお願いできませんか」と依頼されたのです。このNPOは「子ども食堂」と呼ばずに「タベルバ」と呼んでいます。当初は、わたしを含めて、3名のスタッフしかいませんでした。

子ども食堂を運営するにあたって問題となったのは、この「タベルバ」の場所を、どのように確保するかです。幸い、近隣にある「訪問介護センター」(ヘルパーさんを各家庭に派遣する事務所です)が、ヘルパー事業以外に、デイ・ケア・サービスもしていて、土日はデイ・ケアはお休みなので、そのデイ・ケアの場所を「タベルバ」として利用することができました。デイ・ケアでは食事も出すので、調理場はすでに備わっていました。

食材は近くの商店街に頼んで寄付してもらいました。わたしは、オープン前日に100個のジャガイモをピーラーで皮むきをしました。当日の朝は、10名程度の人が参加され、約50食用意しました。

そのうち、栄養士や調理師の資格を持った人が参加するようになり、ジャガイモの皮むきしかできないわたしは、とうとう片隅に追いやられてしまいました。

そうこうするうちに、女性スタッフのひとりが高校生の娘さんを手伝いに連れてくるようになったのです。残念ながら、男女の役割分担の意識が強いせいか、お手伝いに来てくれた高校生はみんな女子生徒で、男子生徒はいませんでした。

そのうち、その女子高校生が友達を連れてくるようになったのです。主な作業は、食器洗いと、子ども達への配膳です。カレーに、ジュースとフルーツがついて100円でした。小さな小学生が100円玉を持って「タベルバ」に来る姿は、可愛くもあり、その背景にある貧困の問題も感じました。

なかには、100円玉を持ってこられない子もいましたが、帰ってもらうわけにもいかないので、「次から100円持ってきてね」と言って提供しました。現在では、同伴の保護者からは200円をもらいますが、子ども達には無料で提供しています。

高校生たちは、目の前にいるこれらの子ども達と会話し、経済問題をかかえる子ども達の姿を垣間見ることができたのです。この経験はとても大切だと思います。もし「タベルバ」がなければ、スタッフの女性が娘さんを連れてこなければ、娘さんは地域の貧困問題に出会うことはなかったかもしれません。

わたしは、このNPOの活動は、単に子ども達を助けるだけではなく、助ける側の高校生にも大きな教育効果を果たしていると思いました。

もうひとつの活動は「学習支援教室」です。こちらは、経済的な理由で塾に行けない子ども達の、学習支援をします。通常の塾とは異なって、決して課題を出したり、宿題を与えたりはせず、あくまでも、子ども達が自分の力で勉強する習慣を身に着けることが目的です。

わたしたちのNPOは、この学習支援教室を「マナビバ」と呼びました。教室の広さの関係で、教室利用の人数に限りがあるため、全員同時に指導はできません。小学校低学年、中学年、高学年、そして、中学生の順で、時間割をつくり、学習支援をします。

この「マナビバ」は、「タベルバ」の近所の団地の集会所を借りました。給食のない土曜日のお昼に「タベルバ」に来て、その子ども達が午後、「マナビバ」に来ることもできます。食べることと学ぶことをつなげることができました。

「マナビバ」の先生たちの多くは、大学生、大学院生、あるいは元・教員の方々でした。

わたしが参加した時、「マナビバ」のマネージャー(大学院生)から「藪野さん、小学生の低学年からお願いします」と言われました。

小学生も高学年になると、大人が答えられない質問もでるからです。子ども達は、自習する教材を持参して、自分で黙って勉強を始めます。決して先生の方からは、話しかけません。子ども達が尋ねた時に指導します。

わたしも、小学生の教科書や参考書を自宅に持ち帰り、子どもになったつもりで勉強しました。それほど、わたしの子どもの時といまとでは、学習内容が異なっているのです。

高校受験を控えたとても優秀な中学3年生が3名(女子生徒2名、男子生徒1名)、毎週、1時間ほど自転車に乗って「マナビバ」にやってきました。

とても学習意欲が高く、質問も高度でしたので、大学院生が指導していました。そして3名とも、希望の高校に進学することができました。NPOを立ち上げたTさんは、福岡市内に当初「マナビバ」を2か所運営していました。現在(2019年)では、23か所に発展しています。生徒総数も、約200名までになりました。

「マナビバ」で勉強して高校に進学した子どもは、将来大学生になった時、この「マナビバ」を忘れないと思います。そして彼ら彼女らが大学生、大学院生になった時、今度は教える側として「マナビバ」に戻ってくると確信しています。今度は「学ぶ側」ではなく「教える側」として「マナビバ」とのかかわりを持って欲しいのです。

と同時に、若い人に、このような「学習支援」をしているNPOがあることを知って欲しいのです。単に「マナビバ」の卒業生だけではなく、一般の高校生が大学に進学した時、このようなNPO活動を見つけ、参加して欲しいのです。あるいは、高校生は中学生のテキストを身近に感じられるので、時間が許せば「マナビバ」のスタッフとして、週に1回、あるいは月に1回、1、2時間程度、中学生の指導に充てて欲しいのです(ボランティアですから、謝礼はありませんが、現在でも、すべての協力者に交通費の実費は、上限もありますが、NPOが負担しています)。

残念ながら、まだ高校生には認知度が低い活動ですが、参加協力の機会は十分に開かれています。夏休みになると児童、生徒が増えるので、福岡市内の男子高から学習指導の応援に参加してくれているそうです。NPOを運営しているTさんに、「マナビバ」への高校生の協力も、夏休みだけでなく日常的な活動になるよう、提案してみようと思っています。

足元にある地域の課題に出会う機会は、学校で受験勉強だけをしていたら、ほとんどないのです。積極的に地域に出ていってNPO活動に参加して、困難をかかえた子ども達と触れ合うことは大切な体験です。

貧困問題をはじめとして地域の課題を知ることは、ハート・ワーク(感動の伝達)を活発にします。第4章で触れましたが、今は個人化がすすみ、団地やマンションに住んでいても、隣人との触れ合いが少ない時代です。人との触れ合いが減少している中で、ましてや地域の課題に接する機会などほとんどないのです。

地域に飛び出して、地域の課題を知り、みなさんのハート・ワークを活性化させて欲しいと思っています。

4　投票のすすめ

福沢諭吉《ふくざわゆきち》の『学問のすすめ』ではありませんが、最後に「投票のすすめ」をお話ししたいと思います。

2019年の参議院選挙で、重度障がいのある2名が当選しました。新聞もテレビも、当選などしないと予測していたので、事前にはほとんど話題にもならず、ニュースでもあまり取り上げられませんでした。しかし開票してみると、比例代表から2名が当選したのです。

1890年に国会が開設されて以来、車椅子の国会議員はいましたが、介助者が必要な議員はいませんでした。2人が当選したことで、参議院が禁止しているパソコンやその他の電子機器の持ち込み、ならびに介助者の同席も許可されたのです。議事堂にも、急遽《きゅうきょ》スロープを付けましたし、お手洗いのバリアフリー化もなされました。眼に見える改革と衝撃です。

比例代表制で出馬したので、全国から票を集められたのです。大きく報道されなかったこともあり、当選するまで、わたしは2人のことは知りませんでした。けれども、眼に見える形で「神の一突き」を示されたことは、有権者の、わたしの意識を大きく揺さぶりました。

「わたしの1票など役に立たない」と思っていた全国の人々の、その1票が重なって、メディアが予想もしなかった候補者の当選に結びついたのです。まさに「ムダな1票」は存在しないのです。これは、棄権して1票を消費した有権者には、考えさせられる事件でしょう。まさに事件です。

わたしが以前勤めていた北九州市立大学(元・北九州大学)は、全国でも障がい者、とりわけ車椅子の学生が多い大学のひとつだと思います。大学の玄関ロビーに電動車椅子に充電するための設備がそなえられていて、夕方には5、6台ほどの車椅子が充電された状態で置かれています。

わたしは、進行性筋ジストロフィーの女子学生に政治学の講義をしたことがあります。母親は、朝、その女子学生を大学まで送って来て帰宅します。そして、夕方には迎えに来るのです。

彼女は座ることができないので、電動車椅子の上に立ってベルトで固定された状態です。電動車椅子の操作はできますので、移動はそれほど困難ではありませんでした。援助が必要な時は、近くを歩く学生に、教室まで案内して欲しいなどと彼女がいうと、学生は、自然体で案内します。この自然体がとても大切です。

お昼には、大学の食堂で、また別の学生にポケットに入ったお金を取りだしてもらい、希望のメニューを伝え、学生が食券を買って、彼女のために食事の手伝いをしています。

期末テストの時、彼女から「先生、筆圧が弱くなったので、解答用紙に文字が書けません。口頭のテストに変えてくれませんか」と依頼がありました。別室で口頭でテストをしました。驚いたのは、記憶力がとてもよかったことです。見事な解答でした。

その後、彼女は4年間の大学生活を無事に終え、卒業式では、卒業生代表として学長から卒業証書を授与されました。大学の講堂の舞台にはスロープがなく階段だけでしたので、彼女は壇上に上がれません。学長が演壇から降りて、平場にいる彼女に卒業証書を授与しました。学長が演壇を降りる姿は感動的でした。

北九州市立大学の学生は、社会に出るまえに、これだけ障がい者と接する経験をつんでいます。

本来、健常者と障がい者が当たり前に接する社会であるべきですが、いまの日本社会は残念ながら、まだ障がい者の社会参加が十分に進んでいるとはいえません。社会人になって、仕事に追いまくられる日々を過ごすなかでは、日常的に健常者と障がい者とが触れ合う機会は少なくなるといえるかもしれません。健常者と障がい者とが対話を通して互いに理解し合う場をもつことは、とても大切だと思っています。高校でも障がいをもっている生徒が多くいるでしょう。

国会でも始まったバリアフリー化の動きが、高校にも、大学にも、今以上に広がって欲しいと思っています。

障がい者と健常者とが日常的に自然に触れ合う社会を高校生のみなさんにこれからつくっていってもらいたいと思います。

さて、「投票のすすめ」です。みなさんは福沢諭吉の『学問のすすめ』は知っているでしょう。


「天は、人の上に人を造らず、人の下に人を造らず」


ここまで、ほとんどの人は、知っているのです。ところが、その後が重要なのです。しかし、その後まで目を通している人となると、それほど多くはないのではないでしょうか。

福沢諭吉は理想主義者であると同時に、現実主義者でもありました。この理想と現実の双方を受け入れるところに、諭吉の思想の深さがあります。

『学問のすすめ』の続きを読みましょう。「天は人を平等に造った」。その後です。「しかし現実には、貧富の格差があり、教養の格差がある。ではどうして、格差が生まれるのか。それは、ひとえに学問をしたかどうかにかかっている」(要約、藪野)。だから学問をすすめているのです。学問をすることで、現実の格差が減少し、平等の社会をつくることができるといっているのです。

それを例にして、わたしは「投票のすすめ」を訴えたいのです。

日本は18歳以上の人すべてに、選挙権を与えました。しかし、現実には投票する人もいれば、棄権する人もいます。この差はどうして生まれるのでしょうか。それはひとえに「市民としての有権者」になるための体験を積んだ、努力の結果です。

「ラクダの背骨を折るのは最後のワラだ」ということわざがあります。ラクダにとって、ワラは軽いものです。ですから、背中に軽いワラを積んでもラクダは倒れません。しかし、ひとワラ、ひとワラ、ひとワラと積んでいくと、重さの限界が来て、最後の軽いひとワラでラクダは倒れるのです。

みなさんは「わたしの1票なんて、ラクダの背中の軽い、軽い、ひとワラにすぎない」と思うかもしれません。しかし、そのひとワラは最後には、たやすくラクダを倒してしまうのです。

若い時代に、経済的な困難をかかえる人々のことを知り、ハンディのある人々と接し、さまざまな人が社会でどのような課題に直面しているのか、そこで生じている、社会の「ひずみ」を知って欲しいのです。

この「ひずみ」を解決することこそが、政治家の役割です。そして政治家を選ぶのが、有権者です。その仕組みがわかれば、自分の手で社会の「ひずみ」を解決する方法がわかったと思います。「ひずみ」を知った体験が、高校生を「消費者としての有権者」(棄権する人)から「市民としての有権者」(投票する人)に変えていくのです。

教室に座って勉強するだけではなく、社会に積極的に出て、この「ひずみ」を感じて欲しいのです。若い時の新鮮な感覚は、生涯変わることなく心に根付くものなのです。

社会の「ひずみ」を知る。このことに目覚めた時、「有権者って誰?」という問いに「それは、わたしです」と、明確に応えることができるのです。その時、すでにあなたは、「市民としての有権者」になっているとわたしは思います。

それでは最後にひとつ質問があります。

「有権者って誰？」

あとがき

わたしは、2019年に北海道大学出版会から『現代日本政治講義』という本を出しました。この本は、どちらかといえば、「市民としての市民」、「市民としての有権者」の方々を読者の対象として、戦後日本の政治を分析したものです。

その後、もっと幅を広げて、「消費者としての市民」、「消費者としての有権者」から「市民としての市民」、「市民としての有権者」までの幅をもった方々を対象に、より多くの政治的課題に関心を持ってもらえる本を書く必要性を感じました。

特に、若い方々に政治的な関心を持って欲しい、と思って本書を書きました。執筆にあたり、友人の竹中英俊さんにお世話になりました。

わたしが若い頃の日本は高度成長に支えられ、成長の政治が基本でした。しかし21世紀の現在、日本は少子化、高齢化、過疎化など未経験の世界に入っています。この未経験を切り開いていく中で、新しい日本の政治が見えてくると思います。
この視点を踏まえて、一人でも多くの若い方々が、この本を通して選挙の重要性を理解し、「有権者、それは、わたしです」という自覚を持って選挙にのぞみ、次の新しい日本の政治を築いて欲しいと思っています。

寒さを、一層つよく感じさせる冬の早朝に
2020年2月3日

藪野祐三

藪野祐三
1969年大阪市立大学法学部卒業。北九州大学(現・北九州市立大学)法学部教授を経て九州大学大学院法学研究院教授。2010年九州大学名誉教授。専攻は現代政治分析。
著書『近代化論の方法――現代政治学と歴史認識』(未来社)、『先進社会のイデオロギーⅠ、Ⅱ』(法律文化社)、『ローカル・イニシアティブ――国境を超える試み』(中公新書)、『失われた政治――政局、政策、そして市民』(法律文化社)、『現代日本政治講義――自民党政権を中心として』(北海道大学出版会)など多数。

有権者って誰?　　岩波ジュニア新書 917

2020年4月17日　第1刷発行

著　者　藪野祐三《やぶのゆうぞう》

発行者　岡本　厚

発行所　株式会社 岩波書店
〒101-8002 東京都千代田区一ツ橋2-5-5
案内 03-5210-4000　営業部 03-5210-4111
ジュニア新書編集部 03-5210-4065
https://www.iwanami.co.jp/

印刷・精興社　製本・中永製本

ISBN 978-4-00-500917-6　　Printed in Japan

岩波ジュニア新書の発足に際して

きみたち若い世代は人生の出発点に立っています。きみたちの未来は大きな可能性に満ち、陽春の日のようにひかり輝いています。勉学に体力づくりに、明るくはつらつとした日々を送っていることでしょう。

しかしながら、現代の社会は、また、さまざまな矛盾をはらんでいます。営々として築かれた人類の歴史のなかで、幾千億の先達《せんだつ》たちの英知と努力によって、未知が究明され、人類の進歩がもたらされ、大きく文化として蓄積されてきました。にもかかわらず現代は、核戦争による人類絶滅の危機、貧富の差をはじめとするさまざまな人間的不平等、社会と科学の発展が一方においてもたらした環境の破壊、エネルギーや食糧問題の不安等々、来るべき二十一世紀を前にして、解決を迫られているたくさんの大きな課題がひしめいています。現実の世界はきわめて厳しく、人類の平和と発展のためには、きみたちの新しい英知と真摯《しんし》な努力が切実に必要とされています。

きみたちの前途には、こうした人類の明日の運命が託されています。ですから、たとえば現在の学校で生じているささいな「学力」の差、あるいは家庭環境などによる条件の違いにとらわれて、自分の将来を見限ったりはしないでほしいと思います。個々人の能力とか才能は、いつどこで開花するか計り知れないものがありますし、努力と鍛練の積み重ねの上にこそ切り開かれるものですから、簡単に可能性を放棄したり、容易に「現実」と妥協したりすることのないようにと願っています。

わたしたちは、これから人生を歩むきみたちが、生きることのほんとうの意味を問い、大きく明日をひらくことを心から期待して、ここに新たに岩波ジュニア新書を創刊します。現実に立ち向かうために必要とする知性、豊かな感性と想像力を、きみたちが自らのなかに育てるのに役立ててもらえるよう、すぐれた執筆者による適切な話題を、豊富な写真や挿絵とともに書き下ろしで提供します。若い世代の良き話し相手として、このシリーズを注目してください。わたしたちもまた、きみたちの明日に刮目《かつもく》しています。（一九七九年六月）

816 AKB48、被災地へ行く　石原　真著

二〇一一年五月から現在まで一度も欠かすことなく続けられている被災地訪問活動。人気アイドルの知られざる活動の様子を紹介します。

817 森と山と川でたどるドイツ史　池上俊一著

魔女狩り、音楽の国、ユダヤ人迫害、環境先進国――ドイツの歩んだ光と影の歴史を、ゲルマン時代からの自然との関わりを軸にたどります。

818 戦後日本の経済と社会―平和共生のアジアへ―　石原享一著

民主化、高度成長、歪み、克服とつづく戦後。多くの課題に取り組んできた、その歩みをたどり、アジア諸国との共生の道を考える。

819 インカの世界を知る　木村秀雄／高野　潤著

天空の聖殿マチュピチュ、深い森に眠る神殿、謎に満ちた巨石…。神秘と謎に包まれたインカの魅力を多数の写真とともに紹介します。

820 詩の寺子屋　和合亮一著

詩は言葉のダンスだ。耳や心に残った言葉を集めて、かたまりをつくろう。それが詩になり、自分の心の記録、そして記憶になるんだ。

821 姜尚中と読む　夏目漱石　姜　尚中著

夏目漱石に心酔し、高校時代から現在まで何度も読み直してきた著者と一緒に、作品に込められた漱石の思いを読み解いてみませんか。

822 ジャーナリストという仕事　斎藤貴男著

マスコミ不信の拡大、ネットなどによるメディア環境の激変。いまジャーナリストの果たすべき役割とは？　自らの体験とともに熱く語ります。

823 地方自治のしくみがわかる本　村林　守著

憲法は強力な自治権を保障しており、住民は政策決定に間接・直接に関われる。暮らしをよくする地方自治と住民の役割を考えよう。

824 寿命はなぜ決まっているのか―長生き遺伝子のヒミツ　小林武彦著
人はみな、なぜ老い、死ぬのか。「命の回数券」「長生き遺伝子」とは？　老化とガンの関係は？　細胞老化の研究者が、科学的な観点から解説します。

825 国際情勢に強くなる英語キーワード　明石和康著
アメリカ大統領選挙、英国のEU離脱、金融危機、地球温暖化、IS、TPPなど国際情勢を理解するために必要なニュース英語を解説します。

826 生命デザイン学入門　小川(西秋)葉子・太田邦史編著
エピゲノム、腸内フローラ……。多様な環境を生き抜く力をもつ生命のデザインを社会に適用する新しい学問の魅力を紹介します。

827 保健室の恋バナ＋α　金子由美子著
とまどいも多い思春期の恋愛。「性と愛」、「ココロとカラダ」はどうあるべきか？　保健室で中学生と向き合ってきた著者が、あなたの悩みに答えます。

828 人生の答えは家庭科に聞け！　堀内かおる・南野忠晴著　和田フミ江画
高校生たちが抱える悩みを漫画で表し、それらを受けて家庭科のプロが考え方や生きるヒントをアドバイス。人生の決断を豊かにしてくれる一冊。

829 恋の相手は女の子　室井舞花著
初恋は女の子。わたしらしく生きたいと願いつづけた同性愛当事者が、自身の体験と多様性に寛容な社会への思いを語る。

830 通訳になりたい！―ゼロからめざせる10の道―　松下佳世著
東京オリンピックを控え、注目を集める通訳。スポーツ通訳、ボランティア通訳、会議通訳など現役の通訳者たちの声を通して通訳の仕事の魅力を探ります。

831 自分の顔が好きですか？―「顔」の心理学―　山口真美著
顔は心の窓です。視線や表情でのコミュニケーション、顔を覚えるコツ、第一印象は大切か、魅力的な顔とは？　心理学で解き明かします。

840 徳川家が見た戦争　徳川宗英著

二六〇年余の泰平をもたらした徳川時代、将軍家を支えた田安徳川家の第十一代当主が語る現代の平和論。二度と戦争を起こさないためには何が必要なのか。

841 研究するって面白い！—科学者になった11人の物語—　伊藤由佳理編著

理系の専門分野で活躍する女性科学者11人による研究案内。研究内容やその魅力を伝えると共に、どのように進路を決め、今があるのかについても語ります。

842 紛争・対立・暴力—世界の地域から考える—〈知の航海〉シリーズ　西崎文子・武内進一編著

なぜ世界でテロや暴力が蔓延するのか。欧州の移民問題や中東のISなど、宗教、人種・民族、貧困と格差が複雑に絡み合う現代社会の課題を解説。

843 期待はずれのドラフト1位—逆境からのそれぞれのリベンジ—　元永知宏著

プロ野球選手として思い通りの成績を残せなくてもそこで人生が終わるわけではない。新たな挑戦を続ける元ドラフト1位選手たちの軌跡を追う！

844 上手な脳の使いかた　岩田誠著

経験を積むことの重要性、失敗や叱られることの意味、失われた能力を取り戻すしくみ——脳のはたらきを知れば、使い方も見えてくる！　本当の「学び」とは何か？

845 方言萌え!?—ヴァーチャル方言を読み解く—　田中ゆかり著

キブンを表すのに最適なヴァーチャル方言は、リアル方言にも影響を与えている。その関係から、日本語や日本社会の新たな断面が見えてくる。

846 女も男も生きやすい国、スウェーデン　三瓶恵子著

男女平等政策を日々更新中のスウェーデン。その取り組みを具体的に紹介する。そこには日本の目指すべき未来がある。

847 王様でたどるイギリス史　池上俊一著

「紅茶を飲む英国紳士」はなぜ生まれた？「料理がマズイ」は戦略？　個性的な王様たちのもとで醸成された文化と気質を深〜く掘り下げ、イギリスの素顔に迫る！

848 財政から読みとく日本社会 ―君たちの未来のために― 井手英策著
日本の財政のなりたちをわかりやすく解説し、新しい社会への選択肢を考えます。誰もが安心してくらせる社会をつくるためにできることは？

849 正しいコピペのすすめ ―模倣、創造、著作権と私たち― 宮武久佳著
デジタル機器やネットの普及でコピーが日常行為になった今、知っておくべきルールとは？ 論文やレポートにも役立つ著作権の入門書。

850 聖徳太子 ―ほんとうの姿を求めて― 東野治之著
仏像に残された銘文や、自筆とされるお経の注釈書など、さまざまな手がかりを読み解き、太子の謎の実像に迫ります。調べて考える歴史学って面白い！

851 日本一小さな農業高校の学校づくり―愛農高校、校舎たてかえ顛末記 品田茂著
自主自立を学び、互いを尊重しあえる人を育む教育で知られる愛農高校のユニークな校舎づくり。みんなで力を合わせてつくった自分たちの学びの場とは？

852 東大留学生ディオンが見たニッポン ディオン・ン・ジェ・ティン著
大好きな国・ニッポンに留学したディオンの見聞録。東大での日々で同世代や社会に感じた異論・戸惑い・共感を率直に語る。国際化にむけても示唆に富む一冊。

853 中学生になったら 宮下聡著
勉強や進路、友達との関係に悩む中学生の日常に寄り添って、充実した三年間を送る方法をアドバイス。自ら考え判断し、行動する力を身につけたい生徒に最適。

854 質問する、問い返す ―主体的に学ぶということ― 名古谷隆彦著
「主体的に学ぶ」とは何か、「考える」とはどういうことなのか。多くの学校現場の取材をもとに主体的に学ぶことの意味を探る。

855 読みたい心に火をつけろ！ ―学校図書館大活用術― 木下通子著
学校図書館には、多様な注文をもった生徒たちがやってくる。学校司書として生徒の「読みたい」「知りたい」に応える様子を紹介。本を読む楽しさや意義も伝える。

856 敗北を力に！ 甲子園の敗者たち 元永知宏 著

甲子園での敗北は、選手のその後の人生にどんな影響を与えたのか？ 激闘を演じ、最後に敗れた甲子園球児の「その後」を追う。

857 世界に通じるマナーとコミュニケーション ―つながる心、英語は翼― 横手尚子 横山カズ 著

マナーの基本5原則、敬語の使い方、気持ちを伝える英語など、国際化時代に必要な、実践で役立つマナーの基本を紹介します。

858 漱石先生の手紙が教えてくれたこと 小山慶太 著

漱石の書き残した手紙は、小説とは違った感慨を読む者に与える。綴られる励まし、ユーモアは、今を生きる人にもエールとなるだろう。

859 マンボウのひみつ 澤井悦郎 著

光る、すぐ死ぬ、人を助けた、3億個産卵……数々の噂は本当か？ 捨身の若きハカセによって、怪魚の正体が、いま明らかに――。 ［カラー頁多数］

860 自分のことがわかる本 ―ポジティブ・アプローチで描く未来― 安部博枝 著

「自分の強み」を見つける自分発見シートや「なりたい自分」に近づくプランシートなど実践的なワークを通して未来を描く自己発見マニュアル。

861 農学が世界を救う！ ―食料・生命・環境をめぐる科学の挑戦― 生源寺眞一 太田寛行 安田弘法 編著

くらしを豊かにし、自然環境を保全し、生き物たちの役に立つ――。地球全体から顕微鏡で見る世界まで、農学には可能性と夢がある！

862 私、日本に住んでいます スベンドリニ・カクチ 著

日本に住む様々な外国人を紹介します。彼らはなぜ日本に住み、どんな生活をしているのでしょう？ 多文化共生のあり方を考えるヒント。

863 短歌は最強アイテム ―高校生活の悩みに効きます― 千葉聡 著

熱血教師で歌人の著者が、現代短歌を通じて学校生活の様子や揺れ動く生徒たちの心模様を描く青春短歌エッセイ。短歌を通じて、高校生にエールを送る。

864 榎本武揚と明治維新
—旧幕臣の描いた近代化
黒瀧秀久

幕末・明治の激動期に「蝦夷共和国」を夢見て戦い、その後、日本の近代化に大きな役割を果たした榎本の波乱に満ちた生涯。

865 はじめての研究レポート作成術
沼崎一郎

図書館とインターネットから入手できる資料を用いた研究レポート作成術を、初心者にもわかるように丁寧に解説。

866 その情報、本当ですか？
—ネット時代のニュースの読み解き方
塚田祐之

ネットやテレビの膨大な情報から「真実」を読み取るにはどうすればよいのか。若い世代のための情報リテラシー入門。

867 〈知の航海〉シリーズ
ロボットが家にやってきたら…
—人間とAIの未来
遠藤 薫

身近になったお掃除ロボット、ドローン、AI家電…。ロボットは私たちの生活をどう変えるのだろうか。

868 司法の現場で働きたい！
—弁護士・裁判官・検察官
打越さく良
佐藤倫子 編

13人の法律家(弁護士・裁判官・検察官)たちが、今の職業をめざした理由、仕事の面白さや意義を語った一冊。

869 生物学の基礎はことわざにあり
—カエルの子はカエル？ トンビがタカを生む？
杉本正信

動物の生態や人の健康、遺伝や進化、そして生物多様性まで、ことわざや成句を入り口に生物学を楽しく学ぼう！

870 覚えておきたい 基本英会話フレーズ130　小池直己
基本単語を連ねたイディオムや慣用的フレーズを厳選して解説。ロングセラー『英会話の基本表現100話』の改訂版。

871 リベラルアーツの学び ―理系的思考のすすめ　芳沢光雄
分野の垣根を越えて幅広い知識を身につけるリベラルアーツ。様々な視点から考える力を育む教育の意義を語る。

872 世界の海へ、シャチを追え！　水口博也
深い家族愛で結ばれた海の王者の、意外な素顔。写真家の著者が、臨場感あふれる美しい文章でつづる。〔カラー口絵16頁〕

873 台湾の若者を知りたい　水野俊平
若者たちの学校生活、受験戦争、兵役、就活……、3年以上にわたる現地取材を重ねて知った意外な日常生活。

874 男女平等はどこまで進んだか ―女性差別撤廃条約から考える　山下泰子・矢澤澄子監修／国際女性の地位協会編
女性差別撤廃条約の理念と内容を、身近なテーマを入り口に優しく解説。同時に日本の課題を明らかにします。

875 〈知の航海〉シリーズ 知の古典は誘惑する　小島毅 編著
長く読み継がれてきた古今東西の作品を紹介。古典は今を生きる私たちに何を語りかけてくれるでしょうか？

877・876
数学を嫌いにならないで
基本のおさらい篇
文章題にいどむ篇
ダニカ・マッケラー
菅野仁子 訳

数学が嫌い？ あきらめるのはまだ早い。この本を読めばバラ色の人生が開けるかもしれません。アメリカの人気女優ダニカ先生が教えるとっておきの勉強法。苦手なところを全部きれいに片付けてしまいましょう。いつのまにか数学が得意になります！

878
10代に語る平成史
後藤謙次

消費税の導入、バブル経済の終焉、テロとの戦い…、激動の30年をベテラン政治ジャーナリストがわかりやすく解説します。

879
アンネ・フランクに会いに行く
谷口長世

ナチ収容所で短い生涯を終えたアンネ・フランク。アンネが生き抜いた時代を巡る旅を通して平和の意味を考えます。

880
核兵器はなくせる
川崎 哲

ノーベル平和賞を受賞したICANの中心にいて、核兵器廃絶に奔走する著者が、核の現状や今後について熱く語る。

881
不登校でも大丈夫
末富 晶

「学校に行かない人生=不幸」ではなく、「幸福な人生につながる必要な時間だった」と自らの経験をふまえ語りかける。

882 40億年、いのちの旅　伊藤明夫

40億年に及ぶとされる、生命の歴史。それをひもときながら、私たちの来た道と、これから行く道を、探ってみましょう。

883 生きづらい明治社会 ―不安と競争の時代　松沢裕作

近代化への道を歩み始めた明治とは、人々にとってどんな時代だったのか？　不安と競争をキーワードに明治社会を読み解く。

884 居場所がほしい ―不登校生だったボクの今　浅見直輝

中学時代に不登校を経験した著者。マイナスに語られがちな「不登校」を人生のチャンスととらえ、当事者とともに今を生きる。

885 香りと歴史　7つの物語　渡辺昌宏

玄宗皇帝が涙した楊貴妃の香り、織田信長が切望した蘭奢待など、歴史を動かした香りをめぐる物語を紹介します。

886 〈超・多国籍学校〉は今日もにぎやか！ ―多文化共生って何だろう　菊池　聡

外国につながる子どもたちが多く通う公立小学校。長く国際教室を担当した著者が語る、これからの多文化共生のあり方。

889 めんそーれ！　化学 ―おばあと学んだ理科授業　盛口　満

料理や石けんづくりで、化学を楽しもう。戦争で学校へ行けなかったおばあたちが学ぶ教室へ、めんそーれ(いらっしゃい)！

888・887
数学と恋に落ちて
未知数に親しむ篇
方程式を極める篇
ダニカ・マッケラー
菅野仁子訳

将来、どんな道に進むにせよ、数学はあなたに力と自由を与えます。数学を研究し、女優としても活躍したダニカ先生があなたの夢をサポートする数学入門書の第二弾。式の変形や関数のグラフなど、方程式でつまずきやすいところを一気におさらい。

890
情熱でたどるスペイン史
池上俊一

長い年月をイスラームとキリスト教が影響しあって生まれた、ヨーロッパの「異郷」。衝突と融和の歴史とは？（カラー口絵8頁）

891
不便益のススメ
―新しいデザインを求めて
川上浩司

効率化や自動化の真逆にある「不便益」という新しい思想・指針を、具体的なデザイン、モノ・コトを通して紹介する。

892
ものがたり西洋音楽史
近藤　譲

中世から20世紀のモダニズムまで、作曲家や作品、演奏法や作曲法、音楽についての考え方の変遷をたどる。

893
「空気」を読んでも従わない
―生き苦しさからラクになる
鴻上尚史

どうしてこんなに周りの視線が気になるの？どうして「空気」を読まないといけないの？その生き苦しさの正体について書きました。

894 内戦の地に生きる
―フォトグラファーが見た「いのち」
橋本　昇
母の胸を無心に吸う赤ん坊、自爆攻撃した息子の遺影を抱える父親…。戦場を撮り続けた写真家が生きることの意味を問う。

895 ひとりで、考える
―哲学する習慣を
小島俊明
主体的な学び、探求的学びが重視されているなか、フランスの事例を紹介しながら「考える」について論じます。

896 「カルト」はすぐ隣に
―オウムに引き寄せられた若者たち
江川紹子
オウムを長年取材してきた著者が、若い世代に向けて事実を伝えつつ、カルト集団に人生を奪われない生き方を説く。

897 答えは本の中に隠れている
岩波ジュニア新書編集部編
悩みや迷いが尽きない10代。そんな彼らに、個性豊かな12人が、希望や生きる上でのヒントが満載の答えを本を通してアドバイス。

898 ポジティブになれる英語名言101
小池直己
佐藤誠司
プラス思考の名言やことわざで基礎的な文法を学ぶ英語入門。日常の中で使える慣用表現やイディオムが自然に身につく名言集。

899 クマムシ調査隊、南極を行く！
鈴木　忠
白夜の夏、生物学者が見た南極の自然とは？ 笑いあり、涙あり、観測隊の日常がオモシロい！〈図版多数・カラー口絵8頁〉

900 男子が10代のうちに考えておきたいこと
田中俊之
男らしさって何? 性別でなぜ期待される生き方や役割が違うの? 悩む10代に男性学の視点から新しい生き方をアドバイス。

901 カガク力《りょく》を強くする!
元村有希子
疑い、調べ、考え、判断する力=カガク力! 科学・技術の進歩が著しい現代だからこそ、一人一人が身に着ける必要性と意味を説く。

902 世界の神話
沖田瑞穂
個性豊かな神々が今も私たちを魅了する聖なる物語・神話。世界各地に伝わる神話のエッセンスを凝縮した宝石箱のような一冊。

903 「ハッピーな部活」のつくり方
中澤篤史
内田　良
長時間練習、勝利至上主義など、実際の活動から問題点をあぶり出し、今後に続くあり方を提案。「部活の参考書」となる一冊。

904 ストライカーを科学する
—サッカーは南米に学べ!
松原良香
南米サッカーに精通した著者が、現役南米代表などへの取材をもとに分析。決定力不足を克服し世界で勝つための道を提言。

905 15歳、まだ道の途中
高原史朗
「悩み」も「笑い」もてんこ盛り。そんな中学三年の一年間を、15歳たちの目を通して瑞々しく描いたジュニア新書初の物語。

906 レギュラーになれないきみへ　元永知宏

スター選手の陰にいる「補欠」選手たち。果たして彼らの思いとは？ 控え選手たちの姿を通して「補欠の力」を探ります。

907 俳句を楽しむ　佐藤郁良

句の鑑賞方法から句会の進め方まで、季語や文法の説明を挟み、ていねいに解説。句作の楽しさ・味わい方を伝える一冊。

908 発達障害 思春期からのライフスキル　平岩幹男

「今のうまくいかない状況」をどうすれば「何とかなる状況」に変えられるのか。専門家がそのトレーニング法をアドバイス。

909 ものがたり日本音楽史　徳丸吉彦

縄文の素朴な楽器から、雅楽・能楽・歌舞伎・文楽、現代邦楽…日本音楽と日本史の流れがわかる、コンパクトで濃厚な一冊！

910 ボランティアをやりたい！ ―高校生ボランティア・アワードに集まれ　さだまさし 風に立つライオン基金 編

「誰かの役に立ちたい！」各地でボランティアを行っている高校生たちのアイディアに満ちた力強い活動を紹介します。

911 オリンピック・パラリンピックを学ぶ　後藤光将編著

オリンピックが「平和の祭典」と言われるのはなぜ？ オリンピック・パラリンピックの基礎知識。